Les secrets de l'aura

Du même auteur
aux Éditions J'ai lu

LE TROISIÈME ŒIL
N° 1829

T. Lobsang
RAMPA

Les secrets de l'aura

Traduit de l'anglais
par France-Marie Watkins

Collection dirigée
par Ahmed Djouder

Titre original
YOU - FOREVER

AVANT-PROPOS

Cet ouvrage est une suite de leçons d'un caractère particulier, destinées à ceux qui s'intéressent très sincèrement aux mystères de la vie.

A l'origine, ce devait être un cours par correspondance, mais l'organisation en aurait été bien trop onéreuse. Aussi, avec la collaboration de mes éditeurs, ai-je préféré faire un livre.

Si vous vous bornez simplement à parcourir cet ouvrage, vous en tirerez déjà le plus grand bénéfice: mais si vous l'étudiez attentivement, le bénéfice sera plus considérable encore. Afin de vous aider, j'ai fait précéder les leçons des instructions *qui auraient accompagné le cours par correspondance.*

T. Lobsang Rampa

INSTRUCTIONS

Nous allons devoir travailler ensemble, vous et moi, afin que votre développement psychique puisse avancer à grands pas. Certaines des leçons qui vont suivre vous paraîtront sans doute plus difficiles que d'autres et aussi plus longues, mais elles ne contiennent aucun « remplissage »; je me suis toujours efforcé d'enseigner avec le moins de mots possible.

Consacrez un soir par semaine, toujours le même, à l'étude de ces leçons. Prenez l'habitude de les lire à la même heure, à la même place, le même jour. Mais il ne suffit pas simplement de lire les mots car vous devez absorber des idées qui vous paraîtront fort étranges; la discipline mentale vous y aidera.

Choisissez une pièce, de préférence à l'écart, où vous pourrez être confortable; cela facilitera votre étude. Couchez-vous si vous le préférez; mais, quoi qu'il en soit, adoptez une attitude complètement détendue, que vos muscles soient relâchés, que rien ne puisse vous empêcher d'accorder toute votre attention à ce que vous lisez et à ce que ces mots évoquent pour vous. Vous devez vous assurer que pendant une heure ou deux, le temps qu'il vous faut pour étudier une leçon, personne ne vienne vous déranger ni interrompre le cours de vos pensées. Une fois dans votre chambre, ou votre bureau, fermez la porte et verrouillez-la; tirez aussi les rideaux ou fermez les volets de manière que le jour ne puisse distraire votre attention. Ne prévoyez qu'une seule source de lumière, une lampe de chevet placée légèrement derrière vous. Vous y verrez suffisamment pour lire mais le reste de la pièce restera dans l'ombre.

Couchez-vous, ou asseyez-vous dans votre fauteuil préféré. Détendez-vous pendant quelques instants, et respirez posément, profondément. Retenez votre respiration pendant trois ou quatre secondes, puis expirez très lentement. Reposez-vous encore un bref moment et puis ouvrez le livre, à la première leçon. Lisez d'abord normalement, comme si vous lisiez le journal, puis fermez les yeux et laissez votre subconscient s'imprégner de cette lecture. Ensuite, recommencez. Relisez la leçon avec application, paragraphe par paragraphe. Si un mot ou une idée vous déroute, prenez-en note, sur une feuille de papier que vous aurez eu soin de placer à portée de votre main. N'essayez pas de vous rappeler le texte, d'apprendre par cœur; il ne faut pas être l'esclave du mot imprimé car le but essentiel de votre travail est de laisser la leçon plonger dans votre subconscient. En essayant d'apprendre par cœur, consciemment, on risque de mal comprendre la signification du texte. Vous n'allez pas passer un examen où l'on vous demandera de répéter la leçon comme un perroquet. Au contraire, vous emmagasinez des connaissances qui vous libéreront des liens de la chair et vous permettront de déterminer le but de votre vie sur la terre.

Quand vous aurez relu la leçon, consultez vos notes et interrogez-vous sur les points qui vous déconcertent ou ne paraissent pas clairs. Il serait trop facile de nous écrire pour demander une explication. Il faut que vous réfléchissiez et que vous découvriez la solution vous-même.

On n'a rien sans rien. Il faut travailler car les choses qui vous sont données gratuitement n'ont généralement aucune valeur. Vous devez ouvrir votre esprit; vous devez avoir la volonté d'absorber de nouvelles connaissances. Vous devez « imaginer » que le savoir vous imprègne, et ne jamais oublier que la pensée, c'est l'homme.

PREMIÈRE LEÇON

Avant de chercher à comprendre la nature du « sur-moi » ou d'aborder les questions occultes, nous devons avant tout être certains de bien comprendre la nature de l'Homme. Dans ce cours, nous emploierons le mot « homme » pour désigner aussi bien l'homme que la femme. Qu'il nous soit permis de faire observer ici, dès le début, que la femme est au moins l'égale de l'homme pour toutes choses concernant l'occultisme et les perceptions extra-sensorielles. La femme, en fait, possède souvent une aura plus brillante et sait mieux apprécier les diverses facettes de la métaphysique.

Qu'est-ce que la vie ?

A dire vrai, tout ce qui existe est « la vie ». Même une créature considérée comme morte est « en vie ». La forme normale de la vie peut avoir disparu, dans ce que nous appelons la mort, mais avec la cessation de « la vie » une nouvelle forme de vie apparaît. Le processus de décomposition crée une forme de vie!

Tout ce qui existe vibre. Tout ce qui est, est formé de molécules constamment en mouvement. Nous préférons le terme « molécules » à ceux d'atomes, de neutrons, de protons, etc., parce que ceci est un cours de métaphysique, et non de chimie ou de physique. Nous cherchons à présenter une vue d'ensemble plutôt que de nous pencher sur des détails microscopiques qui ne servent pas notre propos.

Il serait sans doute bon de dire quelques mots des molécules et des atomes afin d'apaiser les puristes qui, autrement, nous écriront pour nous apprendre ce que nous savons déjà. Les molécules sont des infiniment petits mais peuvent être vues grâce au microscope électronique. Selon le dictionnaire, une molécule est la plus petite portion d'un corps pur qui puisse exister à l'état libre sans perdre les propriétés de la substance originelle. Toutes minuscules qu'elles soient, elles sont composées de particules plus petites encore, appelées atomes.

L'atome est un système solaire en miniature. Son noyau représente notre soleil, autour duquel gravitent des électrons négatifs, tout comme les planètes tournent autour du soleil. Voilà, à la figure 1, l'atome de carbone, la « brique » de notre univers. La figure 2 représente le système solaire. Chaque substance possède un certain nombre d'électrons tournant autour de son « soleil ». L'uranium, par exemple, en a 92; le carbone 6 seulement, dont deux restent très près du noyau et quatre orbitent plus loin. Mais nous oublierons les atomes pour ne plus parler que de *molécules...*

L'homme est une masse de molécules gravitant à grande vitesse. L'homme paraît solide; il est impossible d'enfoncer le doigt entre la chair et l'os. Cependant, cette solidité est une illusion. Prenez une créature infiniment petite qui se placerait à quelque distance d'un corps humain pour l'observer. Elle verrait des soleils tourbillonnants, des nébuleuses en spirale, des

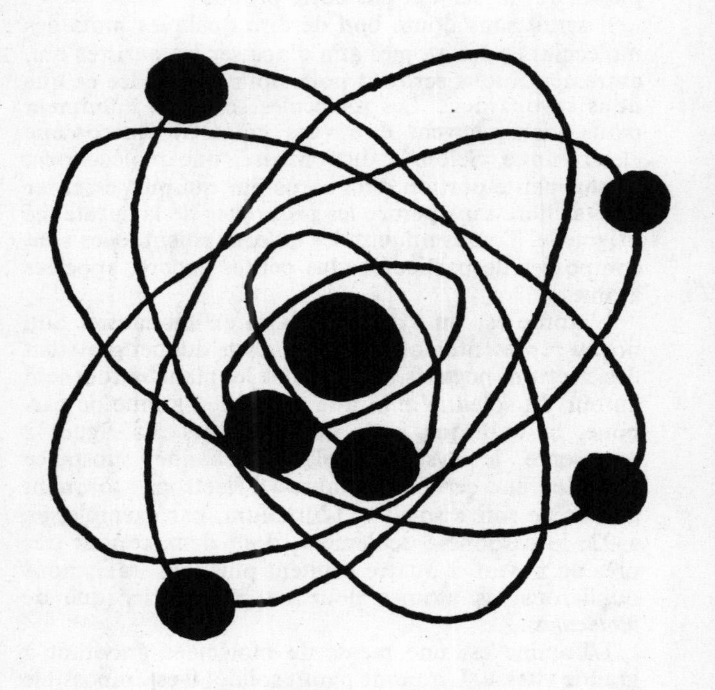

Fig. 1 : Atome de carbone

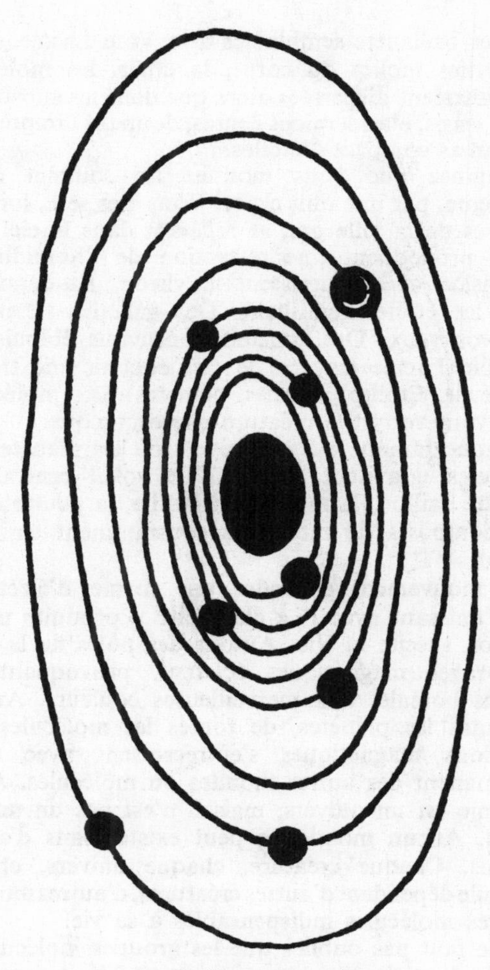

Fig. 2 : Le système solaire

traînées brillantes semblables à la Voie Lactée. Dans les parties molles du corps, la chair, les molécules apparaîtraient dispersées alors que dans les substances dures, les os, elles seraient denses, donnant l'impression d'un amas compact d'étoiles.

Imaginez que vous montiez au sommet d'une montagne, par une nuit claire. Vous êtes seul, loin des lumières de la ville qui, se reflétant dans le ciel nocturne, provoquent une réfraction de l'humidité en suspension et obscurcissent la vision. Au-dessus de vous, les étoiles scintillent. Des galaxies s'étendent sous vos yeux. Des constellations vous éblouissent. La Voie Lactée traverse le ciel comme une traînée lumineuse. Étoiles, mondes, planètes! Des molécules. Ainsi vous verrait la créature microscopique.

Chaque homme est un univers où les planètes, les molécules, gravitent autour d'un soleil central. Le moindre caillou, la moindre brindille, la goutte d'eau sont composés de molécules constamment en mouvement.

Ce mouvement engendre une forme d'électricité qui, s'unissant avec l' « électricité » produite par le sur-moi, suscite la Vie. Autour des pôles de la terre des orages magnétiques éclatent, provoquant des aurores boréales aux merveilleuses couleurs. Autour de toutes les planètes, de toutes les molécules, des radiations magnétiques s'entrecroisent avec celles qui émanent des autres mondes ou molécules. Ainsi, l'homme est un univers, mais il n'est pas un univers en soi. Aucun monde ne peut exister sans d'autres mondes. Chaque créature, chaque univers, chaque molécule dépendent d'autres créatures, d'autres mondes, d'autres molécules indispensables à sa vie.

Il ne faut pas oublier que les groupes moléculaires sont de densités diverses; ce sont, en fait, des groupes d'étoiles dans le ciel. Dans certaines parties de l'univers cosmique il existe en quelque sorte des déserts où les planètes, ou les mondes, sont rares, alors qu'ailleurs la densité est énorme, comme dans la Voie Lactée. De même, le roc peut représenter une constellation ou galaxie fort dense. L'air est beaucoup moins peuplé de molécules. L'air nous imprègne, peut passer par les vaisseaux capillaires de nos poumons et de là dans le sang. Au-delà de l'air, de l'atmosphère, il y a le cosmos, l'espace où les groupes de molécules d'hydrogène sont dispersés. L'espace n'est pas un vide, comme on le pensait jadis, mais un amas de molécules d'hydrogène qui forment les étoiles et les planètes.

Il est évident que chez un être dont la densité moléculaire est très forte, une autre créature a bien du mal à s'insinuer entre ces groupes, mais un « fantôme » dont les molécules sont extrêmement espacées peut facilement traverser un mur de brique. Car ce mur n'est pas autre chose qu'une collection de molécules, analogue à un nuage de poussières en suspension dans l'atmosphère. Tout improbable que cela paraisse, il y a de la place entre chaque molécule, comme entre chaque étoile, et si une créature est suffisamment petite ou si ses molécules sont espacées, alors elle peut passer entre celles d'un mur de brique, par exemple, sans en toucher aucune. Cela nous permet de comprendre comment un « fantôme » peut soudain apparaître dans une chambre close, et comment il peut traverser un mur apparemment massif et solide. Tout est relatif, et le mur épais ne l'est sans doute pas pour un fantôme ou une créature astrale. Mais nous étudierons cela plus tard.

DEUXIÈME LEÇON

Comme nous venons de le voir, le corps humain est formé d'une collection de molécules et si une créature microscopique, tel un virus, le voit ainsi, nous devons aussi considérer le corps humain comme un ensemble de produits chimiques.

Si vous allez dans un magasin acheter une pile pour votre lampe de poche, on vous vend un « récipient » de zinc contenant au centre une électrode de carbone et divers produits chimiques. Vous mettez cette pile dans votre lampe et quand vous pressez un bouton elle vous donne de la lumière. Savez-vous pourquoi ? Dans certaines conditions données, les métaux, le carbone et les produits chimiques réagissent les uns contre les autres pour engendrer de l'électricité. Il n'y a pas d'électricité dans la pile, c'est simplement la réunion de ses composants qui la produit.

De même le cerveau humain produit-il son électricité ! Dans le corps il y a des traces de métaux, par exemple du zinc, et n'oublions pas que la molécule de carbone est à la base du corps humain. Il y a aussi beaucoup d'eau et d'autres produits chimiques tels que du magnésium, du potassium, etc. Ils s'allient pour produire un courant électrique, très faible sans doute, mais qui peut être détecté et mesuré.

Grâce à certains instruments, on peut faire un graphique des ondes cervicales d'un malade mental. Diverses électrodes sont fixées à son crâne et des scripteurs minuscules traduisent des renseignements sur le papier, ce qui permet aux médecins de déterminer la nature de son affection.

Le cerveau n'est pas autre chose qu'un récepteur écoutant les messages du sur-moi, ainsi qu'un émetteur capable à son tour de transmettre au sur-moi des messages, tels que des leçons apprises. Ces messages sont émis au moyen de la « corde d'argent », une masse de molécules à haute fréquence qui vibrent et gravitent à grande vélocité pour mettre en contact le corps humain et le sur-moi.

Le corps vivant sur terre est en quelque sorte un véhicule téléguidé. Le conducteur est le sur-moi. Nous sommes semblables à ces petites voitures qu'un enfant fait avancer, reculer et tourner en pressant sur un bouton, au bout d'un fil, car le sur-moi, qui ne peut pas descendre sur terre, y envoie son corps. Tout ce que nous vivons, tout ce que nous faisons ou pensons, tout ce que nous apprenons est envoyé là-haut pour être emmagasiné dans la mémoire du sur-moi.

Les êtres très intelligents qui sont « inspirés » reçoivent souvent un message direct — consciemment — du sur-moi, au moyen de la corde d'argent. Léonard de Vinci était un de ceux qui restèrent le plus constamment en contact avec le sur-moi, aussi fut-il un génie, dans tout ce qu'il entreprit. Les grands artistes, les grands musiciens communiquent avec leur sur-moi et composent ensuite par « inspiration » de la musique ou des tableaux qui leur ont été plus ou moins dictés par les Puissances qui nous gouvernent.

Cette corde d'argent nous relie à notre sur-moi comme le cordon ombilical relie le bébé à sa mère. Ce cordon est extrêmement complexe mais à côté de la corde d'argent, ce n'est qu'un bout de ficelle. Cette corde est une masse de molécules gravitant sur de très hautes fréquences fort variées; elle est intangible et ses molécules sont trop espacées pour que l'œil humain puisse les distinguer. Beaucoup d'animaux les voient, parce que les animaux sont sur une autre longueur d'ondes et entendent ce que l'homme ne peut percevoir. Chacun sait que le chien peut être rappelé grâce à un sifflet à ultra-sons que son maître n'entend pas. De même, les bêtes peuvent voir la corde d'argent et l'aura, parce qu'elles vibrent sur une fréquence perceptible à la vue des animaux. Avec de l'entraînement, il serait facile pour un homme d'élargir sa bande de réceptivité, tout comme un être faible peut, à force d'exercices, parvenir à soulever un poids dépassant ses capacités physiques normales.

La corde d'argent est une masse de molécules, de vibrations assez semblables au faisceau d'ondes qui, rebondissant sur la surface de notre satellite, a permis aux savants de mesurer la distance de la terre à la lune. Par cette même méthode, le sur-moi communique avec le corps sur la terre.

Rien de ce que nous faisons n'est ignoré du sur-moi. Les êtres s'efforcent de se spiritualiser s'ils sont sur le « droit chemin ». Fondamentalement, en aspirant à la spiritualité, ils cherchent à accroître leur propre taux de vibrations sur la terre et, au moyen de la corde d'argent, à accroître celles du sur-moi. Le sur-moi fait descendre une partie de lui-même dans un corps humain afin de lui permettre d'apprendre.

Chaque bonne action accroît notre taux de vibrations astral et terrestre mais si nous faisons du tort à quelqu'un, nos vibrations spirituelles diminuent. Ainsi, chacune de nos mauvaises actions nous fait descendre d'un échelon dans notre évolution comme chaque bonne action nous fait progresser. Il est donc essentiel pour nous de nous conformer à l'ancienne règle bouddhiste qui nous exhorte à « rendre le bien pour le mal et ne craindre aucun homme, car en rendant le bien pour le mal nous progressons et nous élevons ».

Il est courant de parler de la « bassesse » de quelqu'un. Nos connaissances métaphysiques tombent dans le langage commun et, lorsque nous évoquons une « humeur noire », ce n'est qu'une question de vibrations que le corps transmet au moyen de la corde d'argent au sur-moi, ou que le sur-moi émet vers le corps.

Bien des gens ne peuvent comprendre pourquoi ils sont incapables de communiquer consciemment avec leur sur-moi. C'est extrêmement difficile, si l'on n'a pas un long entraînement. Supposez que vous vous trouviez en Amérique du Sud et que vous vouliez téléphoner à quelqu'un en Russie, en Sibérie, même. Il faudra d'abord vous assurer que cette personne a le téléphone, et puis vous devrez considérer la différence de fuseau horaire. Ensuite, il faudra déterminer si cette personne est chez elle, peut parler votre langue et enfin si les autorités permettent cette communication. A ce stade de l'évolution, mieux vaut ne pas trop chercher à communiquer consciemment avec son sur-moi parce que, aucun cours, aucune leçon ne peut vous donner en quelques pages ce qui nécessite des années de pratique. La plupart des gens espèrent trop; ils s'imaginent qu'ils peuvent lire un cours et faire immédiatement ce que font les Maîtres, qui ont probablement étudié pendant une vie entière, et pendant de nombreuses vies antérieures! Lisez ce cours, étudiez-le, réfléchissez et peut-être, si vous voulez bien ouvrir votre esprit, vous recevrez la lumière. Nous avons eu connaissance de bien des cas (concernant souvent des femmes) où des gens ont reçu certaine information et ont ensuite pu voir l'aura ou la corde d'argent. Ces expériences nous permettent d'affirmer que vous le pourrez aussi... à condition de croire!

TROISIÈME LEÇON

Nous avons déjà vu que le cerveau humain engendre de l'électricité par l'action des produits chimiques, de l'eau et des métaux qui le composent. Il en est de même pour le reste du corps, car le sang qui coule dans les artères et les veines transporte ces produits chimiques, ces traces métalliques et cette eau. Le corps entier est électrisé. Il ne s'agit évidemment pas de cette électricité qui vous permet de vous éclairer ou de faire votre cuisine, mais plutôt d'un effet magnétique.

Si l'on prend un aimant ordinaire, qu'on le place sur une table, recouvert d'une feuille de papier, et si l'on jette ensuite de la limaille de fer, on verra que la limaille se dispose suivant un certain schéma. Cela vaut d'en faire l'expérience. Achetez un aimant chez votre quincaillier, ils sont très bon marché (ou empruntez celui d'un ami). Posez une feuille de papier dessus de manière que l'aimant soit au centre. Procurez-vous un peu de limaille de fer et saupoudrez-en le papier, d'assez haut; vous verrez alors que la poussière de fer se dispose suivant les lignes de force magnétique montant de l'aimant. Vous verrez sa forme précise. Faites cette expérience, car elle vous aidera dans votre étude. La force magnétique est semblable à la force éthérique du corps humain, à son aura.

Tout le monde sait sans doute qu'un fil électrique est entouré d'un champ magnétique. Si le courant varie, c'est-à-dire s'il est alternatif au lieu de continu, alors le champ est animé de pulsations et fluctue selon les changements de polarité.

Le corps humain, qui est une source d'électricité, est environné d'un champ magnétique alternatif. L'éthérique, comme nous l'appelons, fluctue, ou vibre, si rapidement qu'il est pratiquement impossible de discerner ce mouvement. De même, lorsque notre lampe est allumée, bien que le courant fluctue cinquante ou soixante fois par seconde, nous ne le percevons pas; cependant, dans certaines localités isolées ou à bord d'un navire, les fluctuations sont si lentes que l'œil peut suivre les vibrations de la lumière.

Si une personne s'approche très près d'une autre, elles éprouveront souvent une sensation de picotement. Bien des gens, la majorité, sont parfaitement conscients de la proximité d'un autre. Essayez, faites l'expérience avec un ami; tenez-vous derrière lui et approchez un doigt de sa nuque, puis effleurez-la. Le plus souvent, il ne fera aucune distinction entre la proximité et le toucher réel. C'est tout simplement parce que l'éthérique est également sensible au toucher.

L'éthérique est le champ magnétique qui entoure le corps humain (fig. 3). C'est la frontière de l'aura, son noyau, si l'on peut dire. Chez certains, l'éthérique couvre chaque partie du corps sur une épaisseur d'environ un millimètre, même autour de chaque cheveu. Chez d'autres, il est plus épais, allant parfois, mais rarement, jusqu'à douze centimètres. L'éthérique peut servir à mesurer la vitalité des personnes. Il change d'intensité suivant l'état de santé. Si un homme a travaillé durement pendant la journée, l'éthérique sera très proche de la peau mais, après un bon repos, il s'épaissira. Il suit les contours précis du corps, des poils, des verrues et même des boutons. Il est intéressant de noter que si l'on est soumis à une très forte tension d'électricité à faible voltage, l'éthérique peut être vu, parfois rose, parfois bleu. Certaines conditions atmosphériques permettent aussi de voir l'éthérique. C'est ce que les marins appellent le feu Saint-Elme. Il arrive que les mâts, les superstructures, la coque d'un bateau paraissent bordés d'une luminosité, très impressionnante pour qui la voit pour la première fois. On peut assimiler ce phénomène à l'éthérique du navire.

Bien souvent, dans la campagne, par une nuit sombre ou brumeuse, on peut remarquer autour des fils à haute tension une espèce de luminosité bleuâtre. Les ingénieurs électriciens appellent ce phénomène la « couronne » des fils à haute tension et c'est un de leurs soucis parce qu'une couronne tombant sur les isolateurs peut ioniser l'atmosphère et produire un court-circuit qui risque de faire sauter des relais et plonger toute une région dans l'obscurité. La couronne du corps humain, naturellement, est l'éthérique et elle ressemble beaucoup à la décharge des fils à haute tension.

Presque tout le monde peut voir l'éthérique d'un corps, à condition de s'entraîner un peu et d'avoir de la patience. Malheureusement, on s'imagine trop souvent qu'il existe un moyen facile et rapide d'atteindre aux connaissances et aux pouvoirs qui ont exigé des années d'études chez les Maîtres. Rien ne peut se faire sans entraînement; les grands musiciens font des gammes tous les jours. Ainsi, vous-même,

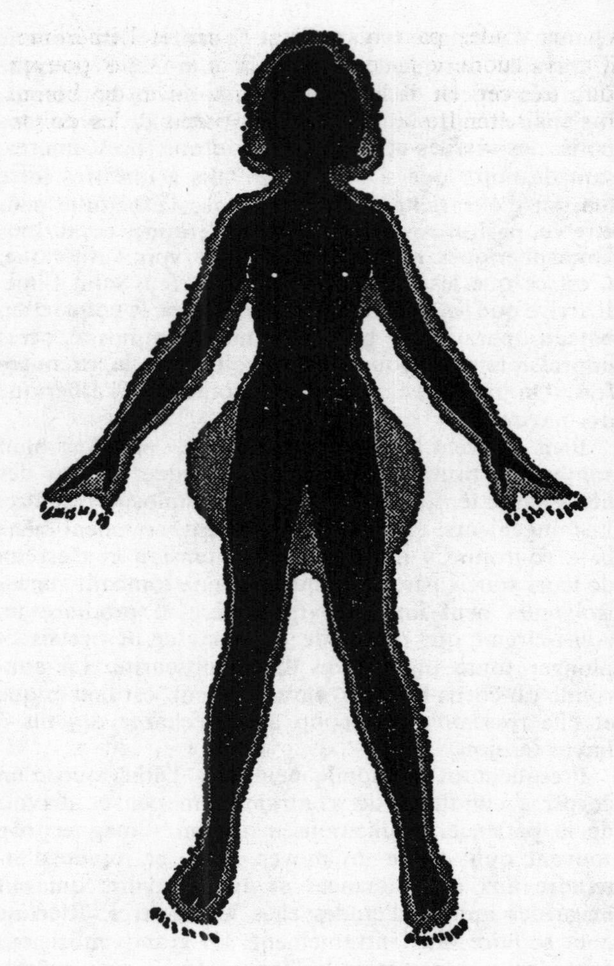

Fig. 3 : L'éthérique

si vous voulez parvenir à voir l'aura et l'éthérique, il vous faudra « faire vos gammes ». Vous pouvez vous exercer en demandant à un sujet de bonne volonté d'étendre le bras, la main tendue, les doigts écartés, à quelques centimètres d'un fond neutre ou noir. Tournez-vous vers ce bras et cette main, mais sans les regarder directement. Il y a un « truc » à prendre. Du coin de l'œil, vous verrez alors une espèce de fumée bleu-gris collée à la peau. Comme nous l'avons déjà dit, elle peut être épaisse d'un millimètre ou de plusieurs centimètres. Bien souvent, l'observateur tournera la tête pour regarder de plus près et ne verra qu'un bras, peut-être parce qu'il fait trop d'efforts, ou qu'il ne « voit pas la forêt parce que les arbres la cachent ». Détendez-vous, ne faites pas d'efforts et, avec un peu de pratique, vous verrez quelque chose.

Vous pouvez également vous entraîner seul. Asseyez-vous dans un bon fauteuil, mettez-vous à l'aise. Installez-vous à deux mètres au moins de tout objet, table, chaise ou mur. Respirez profondément, régulièrement et puis, lentement, étendez vos bras, joignez le bout des doigts, les pouces en l'air. A ce moment, si vous écartez légèrement les mains vous percevrez « quelque chose ». Ce sera peut-être une brume grise, elle paraîtra lumineuse, mais vous verrez certainement, en écartant très légèrement vos doigts, qu'il y a réellement quelque chose. Ce quelque chose, c'est l'éthérique. Si vous perdez le contact, c'est-à-dire si le fugace « quelque chose » disparaît, alors recommencez, rejoignez le bout des doigts et écartez-les encore. Ce n'est qu'une question d'entraînement. Encore une fois, les plus grands musiciens du monde ne cessent de s'entraîner et, après leurs gammes, ils jouent merveilleusement. Vous aussi, vous pourrez obtenir de merveilleux résultats en science métaphysique!

Mais contemplez encore vos doigts. Regardez attentivement la brume légère qui passe de l'un à l'autre. Avec un peu de pratique, vous observerez qu'elle passe de la main gauche à la droite ou inversement; cela ne dépend pas seulement de votre sexe mais de votre état de santé et de vos préoccupations à ce moment-là.

S'il vous est possible de vous faire aider par une personne que l'expérience intéresse, alors vous pouvez vous exercer avec la paume de votre main. Installez cette personne, de préférence d'un sexe opposé, dans un fauteuil, en face de vous. Vous devez tous deux étendre les bras, les mains. Ensuite, lentement, vous abaisserez votre paume sur celle de votre vis-à-vis. Lorsque vous serez à environ quatre centimètres de sa main, vous sentirez un léger courant d'air, froid ou chaud, passant d'une main à l'autre, la sensation étant plus vive au milieu de la paume. Si vous sentez une brise chaude bougez légèrement votre main, de biais, et la sensation de chaleur augmentera. Elle augmentera d'ailleurs à force d'entraînement. Quand vous arriverez à ce stade, si vous regardez attentivement l'espace entre votre main et celle de l'autre personne, vous verrez très distinctement l'éthérique. Cela ressemble à la fumée d'une cigarette qui se consume seule, d'une teinte bleuâtre.

Nous devons répéter que l'éthérique n'est que la manifestation externe des forces magnétiques du corps; nous l'appelons l' « âme » parce que lorsqu'une personne meurt de mort violente, en parfaite santé, cette charge éthérique demeure quelque temps, puis elle se détache du corps et erre comme « une âme en peine », mais cela n'a aucun rapport avec l'entité astrale. Nous verrons cela plus tard. Mais vous avez sans doute entendu parler de vieux cimetières de campagne sans le moindre éclairage où l'on a vu par des nuits sans lune une vague lueur bleue monter d'une tombe fraîchement creusée. C'est la charge éthérique qui se dissipe, quittant le mort enterré le jour même. On pourrait dire que c'est un peu comme la chaleur montant d'une bouilloire sous laquelle on vient d'éteindre le feu. Une déperdition de chaleur. De même lorsqu'un corps meurt (mais il ne faut pas oublier qu'il y a plusieurs stades relatifs de la mort) la force éthérique baisse de plus en plus. Il arrive que l'éthérique s'attarde autour d'un corps pendant plusieurs jours après la mort clinique, mais cela sera l'objet d'une autre leçon.

Exercez-vous, faites vos gammes. Regardez vos mains, contemplez votre corps, tentez ces expériences avec un ami de bonne volonté, parce que seule l'expérience vous permettra de voir l'éthérique, et, tant que vous ne le verrez pas, vous ne pourrez distinguer l'aura, qui est plus subtile encore.

QUATRIÈME LEÇON

Nous avons vu, dans la leçon précédente, que le corps est enveloppé par l'éthérique. Mais au-delà, il y a l'aura, qui lui est semblable en ce sens qu'elle est également d'origine magnétique, mais la ressemblance s'arrête là.

L'aura présente les couleurs du sur-moi, elle indique si une personne est spirituelle ou charnelle, si elle est en bonne santé ou malade. Tout se reflète dans l'aura qui est le miroir du sur-moi, ou de l'âme.

Dans cette aura, nous pouvons voir la maladie, la santé, la faillite ou le succès, l'amour et la haine. Sans doute est-ce heureux que, de nos jours, peu de gens aient le pouvoir de distinguer les auras car, à notre époque, il est hélas trop courant de chercher à tirer avantage des autres et l'aura trahit toutes les pensées, bonnes ou mauvaises, en reflétant les couleurs et les vibrations du sur-moi. Il est de fait que, lorsqu'une personne est atteinte d'une maladie mortelle, son aura commence à se ternir et, dans certains cas, elle disparaît avant même que la personne meure. D'autre part, en cas de mort violente alors que la victime était en bonne santé, l'aura s'attarde après la mort clinique.

Il serait bon ici de faire quelques observations sur la mort, parce que cette suppression de la vie ne ressemble en rien à un acte brutal, comme une coupure de courant. La mort n'est jamais rapide. Quelle que soit sa cause, même en cas de décapitation, la mort ne survient pas immédiatement. Le cerveau, comme nous l'avons vu, est une pile qui engendre un courant électrique. Le sang fournit les produits chimiques, l'humidité et les traces métalliques qui s'emmagasinent dans les tissus cervicaux. Ainsi, le cerveau peut continuer de fonctionner pendant trois à cinq minutes après la mort clinique!

L'aura est une chose beaucoup plus subtile que l'éthérique relativement grossier. L'aura est en fait à l'éthérique ce que ce dernier est au corps matériel. L'éthérique suit le corps et le recouvre entièrement mais l'aura s'en écarte pour former une espèce de coquille ovoïde (fig. 4). Elle peut atteindre une hauteur de deux mètres cinquante et même plus, et une largeur de plus d'un mètre au centre. Elle s'affine ensuite si bien que sa partie la plus étroite se trouve aux pieds. L'aura est formée par les radiations colorées partant des diverses parties du corps. L'adage chinois veut que « un dessin vaille plus de mille mots », aussi, pour éviter d'écrire ces mille mots, nous vous présentons le croquis d'une personne, de profil, autour de laquelle nous indiquons les lignes de force de l'aura et sa forme générale.

Nous devons souligner encore une fois que l'aura existe vraiment, même si vous ne pouvez la voir, pas plus que vous ne voyez l'air que vous respirez; de même je doute fort qu'un poisson puisse voir la mer dans laquelle il nage! L'aura est une force vitale réelle. Elle existe, bien que les profanes ne puissent la voir. Pour y parvenir, vous devez vous entraîner,

Fig. 4 : Configuration de l'aura

travailler et, avec un peu de foi, si l'on vous aide, vous devriez pouvoir la distinguer. Le plus difficile est justement d'avoir cette foi.

Comme nous l'avons dit, l'aura est multicolore mais nous devons faire observer que, lorsque nous parlons de « couleurs », nous faisons simplement allusion à une certaine partie du spectre solaire. Autrement dit, au lieu d'employer le mot « couleur » nous pourrions citer la fréquence de cette radiation que nous appelons « bleu » ou « rouge ». Le rouge est une des couleurs les plus faciles à voir. Le bleu est plus subtil. Il y a des personnes qui ne peuvent voir le bleu, d'autres à qui le rouge échappe. Si vous êtes en présence d'une personne qui peut voir l'aura, gardez-vous bien de dire un mensonge car vous vous trahiriez ! Normalement, chaque être possède un « halo » bleuâtre ou jaunâtre. En cas de mensonge, des radiations vert-jaune traversent le halo. C'est une couleur assez difficile à décrire mais, une fois qu'on l'a vue, on ne peut l'oublier. Ainsi, proférer un mensonge équivaut à se trahir aussitôt, par ces éclats vert-jaune qui jaillissent au sommet de l'aura.

L'aura monte jusqu'aux yeux et ensuite il y a ce que l'on appelle le halo proprement dit, ou nimbe, d'une vive couleur jaune ou bleue. Puis, tout au sommet, jaillit une espèce de fontaine de lumière que l'on appelle en Orient la Fleur de Lotus. C'est un véritable arc-en-ciel et, pour peu que l'on ait de l'imagination, on croit voir s'épanouir le lotus à sept pétales.

Plus la spiritualité d'un être est grande, plus le halo est jaune safran. Si une personne a de mauvaises pensées, cette partie de l'aura virera au brun terne et sera encadrée de cette couleur vert-jaune bilieuse révélant le mensonge.

Nous sommes persuadés que beaucoup de gens voient les auras sans le savoir. Il est courant de dire que telle couleur vous va, que vous ne pouvez pas porter telle autre; instinctivement, vous pensez que cette couleur-là jure avec votre aura. Il vous est certainement arrivé de trouver une amie mal habillée, avec des couleurs qui vous choquent. Vous ne « voyez » peut-être pas son aura mais vous sentez que les couleurs lui sont néfastes. Ainsi, de nombreuses personnes sentent l'aura, la devinent, mais comme, depuis leur enfance, on les a mises en garde contre le surnaturel, elles refusent de croire à cette vision.

Il est également prouvé que l'on peut influer sur sa santé en portant des vêtements de telle ou telle couleur. Si vous en portez une qui jure avec votre aura, vous serez mal à l'aise, de mauvaise humeur, jusqu'à ce que vous vous changiez. Il en est de même pour le décor de votre maison et nul n'ignore plus que le vert est apaisant, le rouge irritant. Les couleurs ne sont après tout que des vibrations. Tout comme la vibration que nous appelons « son » peut devenir discordante ou harmonieuse, de même les vibrations muettes que nous appelons couleurs peuvent provoquer une cacophonie spirituelle.

CINQUIÈME LEÇON

Les couleurs de l'aura

Chaque note de musique est un mélange de vibrations harmoniques compatibles avec leurs voisines. Quand elles ne le sont pas, le son est « faux », aigre et désagréable à l'oreille.

Les couleurs sont aussi des vibrations, sur un niveau légèrement différent du « spectre de perception humaine ». On peut posséder des couleurs pures, plaisantes, dont l'influence est ennoblissante, ou des couleurs qui se heurtent, qui agacent les nerfs. Dans l'aura humaine, il existe un nombre incalculable de couleurs et de combinaisons de couleurs. Certaines dépassent la portée de la vision de l'observateur non entraîné ; ainsi, nous n'avons pas de noms pour elles.

Nous avons déjà parlé du sifflet à ultra-sons qui résonne sur une longueur d'ondes, ou de vibrations, imperceptibles pour l'oreille humaine, mais que le chien peut entendre. D'autre part, l'homme entend des sons graves qui sont inaudibles pour les chiens. Supposons que nous haussions la portée de perception de l'oreille humaine; nous entendrons alors les ultra-sons du sifflet, comme notre chien. De même nous pouvons hausser notre perception visuelle pour voir l'aura. Mais si nous ne procédons pas avec la plus grande prudence, nous perdrons la faculté de voir le noir ou les couleurs très sombres.

Il est impossible de donner la liste de ces innombrables couleurs et nous nous attacherons seulement aux principales, aux plus fortes. Les couleurs fondamentales changent selon les progrès que fait la personne dont on contemple l'aura. Si sa spiritualité s'améliore, les couleurs aussi. Si on a le malheur de régresser, alors les couleurs s'altèrent ou changent de ton. Les couleurs fondamentales, que nous allons étudier, indiquent le « fond » de la personne. Les teintes pastel indiquent les pensées et les intentions, ainsi que le degré de spiritualité. L'aura tourbillonne et danse comme un arc-en-ciel particulièrement complexe. Les couleurs tournent autour du corps en spirales concentriques, et descendent aussi de la tête aux pieds. Mais ces couleurs sont beaucoup plus nombreuses que celles de l'arc-en-ciel qui n'est qu'une réfraction de cristaux, alors que l'aura est la vie même.

Voici quelques notes concernant certaines couleurs, peu nombreuses car il ne conviendrait pas d'aborder les autres tant que vous n'aurez pu voir les principales !

Rouge

Un bon rouge bien clair indique la puissance dirigée vers le bien. Les bons généraux, les bons meneurs d'hommes ont beaucoup de rouge clair dans leur aura. On trouve une teinte rouge clair bordée de jaune clair chez les « croisés », ceux qui s'efforcent toujours d'aider leur prochain. Ne confondez surtout pas cette personne avec celle qui se « mêle de tout », son aura sera d'un rouge virant au brun. Des bandes ou des radiations rouge clair émanant d'un organe indiquent que cet organe est en excellente santé. Certains grands hommes d'État ont du rouge clair dans leur aura, mais hélas, dans trop de cas, ce rouge est contaminé par des couleurs débilitantes.

Un vilain rouge, trop foncé, ou terne, indique le mauvais caractère, la méchanceté. Le sujet est irritable, félon, cherche à profiter des autres. Les rouges ternes révèlent invariablement l'excitation nerveuse. Les assassins ont souvent ce rouge terne, dégradé, dans leur aura. Plus le rouge est pâle (*pâle*, non pas plus clair) plus la personne est nerveuse et instable, trop active, ne tenant pas en place. Les teintes rouges autour des organes indiquent leur état. Un rouge sombre, tirant sur le brun, palpitant au-dessus d'un organe, indique la présence d'un cancer et il est même possible de « pré-voir » un cancer sur le point de se déclarer! L'aura révèle les maladies qui affecteront le corps plus tard si des mesures curatives ne sont pas prises. Il est certain que, d'ici à quelques années, on aura de plus en plus recours à la « thérapeutique de l'aura ».

Un rouge marbré et vibrant situé près des joues indique un abcès ou une carie dentaire; accompagné d'un brun palpitant régulièrement dans le nimbus, il révèle que la personne a peur d'aller chez le dentiste. L'écarlate est généralement « porté » par ceux qui sont trop sûrs d'eux-mêmes, qui ne pensent qu'à eux. C'est la teinte du faux orgueil. Mais l'écarlate se distingue aussi très nettement autour des hanches des dames de petite vertu, dont l'amour est le métier. Ainsi, l'égocentrique et la prostituée ont les mêmes couleurs. A ce sujet, qu'il me soit permis une digression : il est curieux de constater que ces tournures de phrases communes, une « humeur noire », « une peur bleue », « se fâcher tout rouge », « jaunir de jalousie », etc., indiquent fort précisément l'aura de la personne souffrant de ces humeurs ! Les peuples qui ont imaginé ces adages voyaient manifestement l'aura, consciemment ou non.

Pour en revenir au groupe des « rouges », le rose (une teinte corail) indique l'immaturité. Les adolescents ont une aura plus rose que rouge. Chez l'adulte, cette couleur révèle l'infantilisme ou l'insécurité.

Toutes les personnes qui ont du rouge à l'extrémité du sternum sont malades des nerfs. Elles devront apprendre à contrôler leurs activités et à se comporter plus calmement si elles veulent vivre jusqu'à un âge avancé.

Orangé

L'orangé est une variante du rouge mais nous lui accorderons une classification particulière car certaines religions d'Orient considèrent que l'orangé est la couleur du soleil et lui rendent hommage. C'est une bonne couleur, et ceux qui ont une belle teinte orangée dans leur aura sont fondamentalement bons, ils s'efforcent toujours de venir en aide aux plus malheureux qu'eux. Le jaune-orangé est excellent car il dénote la maîtrise de soi et bien d'autres vertus.

L'orangé-brun appartient à l'être paresseux qui se « moque de tout ». Cette teinte révèle également des reins malades. Si elle se situe au-dessus des reins et comporte des traces de gris, elle indique la présence de calculs.

Un orangé teinté de vert est signe de tempérament coléreux, chicanier, et quand vous aurez progressé, au point de distinguer les teintes dans les teintes et toutes les nuances, alors vous aurez la sagesse d'éviter de discuter avec ceux qui possèdent du vert dans l'orangé parce qu'ils manquent d'imagination, pour eux tout est noir ou blanc, ils manquent de subtilité et ne savent distinguer les nuances d'opinion de savoir de couleur. La personne affligée d'un orangé verdâtre discute interminablement pour le plaisir de discuter, sans même se soucier de la valeur de ses arguments.

Jaune

Un beau jaune doré appartient aux êtres de très haute spiritualité. Tous les grands saints ont des halos dorés. Plus grande est la spiritualité, plus éclatant le jaune doré. Une personne qui possède dans son aura un jaune vif est parfaitement honnête, parfaitement franche et on peut avoir confiance en elle. Mais un vilain jaune indique la couardise. Un jaune rougeâtre n'est pas du tout favorable parce qu'il indique la timidité physique et morale et la faiblesse de l'esprit. Ceux-là ne savent ce qu'ils veulent, ils changeront de religion et d'opinion, cherchant toujours ailleurs. Ils n'ont aucune persévérance.

La personne qui possède dans son aura une teinte jaune-rouge ou brun-rouge passera sa vie à courir après le sexe opposé... en vain ! Il est curieux de constater que ceux qui ont du jaune-rouge dans leur aura et aussi les cheveux roux sont généralement irritables et extrêmement susceptibles.

Quand le jaune est fortement teinté de rouge, la personne souffre d'un grand complexe d'infériorité. Plus le rouge domine, plus la personne en souffre. Un jaune brunâtre révèle des pensées très impures et une regrettable faiblesse d'esprit. Les ivrognes, les clochards, les ratés possèdent dans leur aura cette couleur rouge-brun-jaune et, s'ils sont particulièrement mauvais, elle est constellée d'une très vilaine couleur verdâtre. Ceux-là peuvent rarement être sauvés de leur propre folie.

Lorsque le jaune est strié de brun et que ce brun prédomine, c'est un signe de maladie mentale. La personne qui a une personnalité double (au sens psychiatrique) a souvent la moitié de son aura d'un jaune bleuâtre et l'autre jaune brunâtre ou verdâtre. C'est un mélange de couleurs affreusement déplaisant.

Il faut aspirer à obtenir le beau jaune doré dont nous avons parlé plus haut. Il sera obtenu si l'on s'efforce de rester pur, en pensée et en intention. Chacun de nous doit passer par le jaune éclatant avant d'espérer progresser sur le chemin de notre évolution.

Vert

Le vert est la couleur de la guérison, de l'enseignement, de la croissance physique. Les grands médecins et chirurgiens ont beaucoup de vert dans leur aura mais aussi du rouge et, chose curieuse, ces couleurs se mêlent harmonieusement, sans la moindre dissonance. Sur une étoffe, le rouge et le vert choquent l'œil mais, dans une aura, ils plaisent. Le vert, accompagné d'un beau rouge, révèle l'excellent chirurgien, l'homme compétent. Le vert seul, sans trace de rouge, se trouve chez les médecins, ou les infirmières éprises de leur métier. Le vert accompagné d'un beau bleu indique la réussite dans l'enseignement. Certains grands professeurs ont du vert dans leur aura avec des stries d'un bleu électrique et l'on distingue souvent entre les rayures de fines lignes de jaune d'or, indiquant que le professeur est tout dévoué à ses élèves et possède la haute spiritualité indispensable à sa vocation.

Tous ceux qui s'occupent de la santé des hommes et des animaux ont beaucoup de vert dans leur aura. Ce ne sont pas toujours de grands patrons mais ils aiment leur profession et l'accomplissent toujours bien. Cependant, le vert n'est pas une couleur dominante et elle est toujours accompagnée d'une autre. C'est une bonne couleur et elle indique que celui qui a beaucoup de vert dans son aura est un être compatissant, fondamentalement bon. Mais si le vert tourne au jaune, alors on ne peut avoir confiance en cette personne et plus le jaune domine, plus il faut se méfier. Les escrocs ont une aura d'un vert-jaune déplaisant. D'autre part, si le vert tourne au bleu, généralement un joli bleu ciel ou un beau bleu électrique, alors cette personne est parfaitement honnête.

Bleu

On considère souvent cette couleur comme celle du monde spirituel. Elle indique aussi les facultés intellectuelles mais naturellement, pour être favorable, elle doit être de la nuance voulue. L'éthérique est bleuâtre, comme la fumée d'un feu de bois. Plus ce bleu est lumineux, plus la personne est vigoureuse. Le bleu pâle appartient aux êtres timorés, indécis, velléitaires. Le bleu sombre est celui de la personne qui progresse, qui fait des efforts. Si le bleu devient plus sombre encore, cela révèle la personne qui prend ses devoirs à cœur, et qui en tire satisfaction. Ces bleus sombres se constatent souvent chez les missionnaires qui ont la vocation. On peut toujours juger une personne par la clarté du jaune et l'obscurité du bleu.

Indigo et violet

Il est difficile de distinguer ces deux couleurs l'une de l'autre, aussi ne leur consacrerons-nous qu'un seul et même paragraphe. Les personnes qui ont de l'indigo dans leur aura ont de profondes convictions religieuses, parfaitement sincères. Certains feignent de professer la religion, d'autres ne font qu'en parler et, tant que l'on n'aura pas vu leur aura, on ne pourra juger de leur sincérité; l'indigo en apporte la preuve formelle. Si une teinte rosée se mêle à l'indigo, la personne a mauvais caractère; ce rose est dégradant et prive l'aura de sa pureté. Incidemment, les personnes dont l'aura possède de l'indigo ou du violet souffrent de maladies de cœur et d'estomac. Elles ne devraient jamais manger de fritures ni de graisses.

Gris

Le gris est un modificateur des couleurs de l'aura. Il ne signifie rien en soi, à moins que la personne soit très peu évoluée. Le gris envahissant une couleur indique la faiblesse de caractère et de santé. S'il y a des bandes grises au-dessus d'un organe, cet organe va bientôt tomber malade, et il est urgent de consulter un médecin. La personne qui souffre de migraines aura une espèce de nuage gris dans le halo, et, quelle que soit la couleur de ce halo, des bandes grises le traverseront en vibrant au rythme des élancements du mal de tête.

SIXIÈME LEÇON

Il doit être évident pour le lecteur, maintenant, que tout ce qui *est* est vibration. Ainsi, toute l'existence de l'univers est réglée par ce que l'on pourrait appeler un gigantesque clavier formé de toutes les vibrations qui puissent jamais exister. Imaginons que le clavier d'un piano s'étende à l'infini, et que nous soyons des fourmis, par exemple, qui ne peuvent voir que quelques notes. Les vibrations correspondent aux différentes touches du piano. Une note gouverne les vibrations de ce que nous appelons « le toucher », et qui sont si lentes, si « massives » que nous ne pouvons les voir ni les entendre (fig. 5).

La note suivante est le son et cette touche active les vibrations qui déclenchent les mécanismes de notre oreille. Nous ne sentons pas avec les doigts ces vibrations mais nos oreilles nous disent qu'il y a un son. Nous ne pouvons entendre ce que nous touchons, nous ne pouvons toucher ce que nous entendons.

Ensuite, il y a la vue. Là encore nous avons une vibration d'une si haute fréquence que nous ne pouvons la toucher ni l'entendre, mais elle affecte nos yeux.

Fig. 5 : Le clavier symbolique
Toucher Son Vue Radio Psychométrie Télépathie Clairvoyance
Les fréquences de la vue et de la radio sont presque identiques

Quelques autres vibrations interpénètrent ces trois « notes », par exemple cette bande de fréquences que nous appelons « radio ». Une note plus haute, et c'est la télépathie, la clairvoyance et toutes manifestations ou pouvoirs semblables. Ces fréquences ou vibrations sont illimitées et l'homme n'en perçoit que très peu.

Cependant, la vue et l'ouïe sont étroitement unies. Nous pouvons dire d'une couleur qu'elle a un son musical parce qu'il existe certains instruments électroniques qui jouent une note particulière si une couleur y est introduite. Si vous trouvez cela difficile à comprendre, réfléchissez à ceci : les ondes de la radio et de la télévision sont constamment autour de nous, transmettant la musique, la parole et même les images, elles sont dans la maison, dans la rue, partout. Nous ne pouvons les entendre ni les voir mais si nous avons un poste de radio ou de télévision qui convertit les fréquences radio en audio-fréquences, nous pouvons voir et entendre les émissions. De même, nous pouvons choisir un son et déclarer qu'il a une couleur, ou prendre une couleur et dire qu'elle a un son musical. C'est une chose bien connue en Orient, naturellement, et nous considérons que cela accroît la perception de l'art, si l'on peut regarder un tableau et imaginer l'accord qui résulterait de ces couleurs si on les mettait en musique.

Chacun sait que l'on appelle Mars la planète rouge. Une certaine nuance de rouge — le rouge fondamental — correspond à la note de musique *do*.

L'orangé, qui fait partie du rouge, correspond au *ré*.

Le jaune est un *mi* et la planète Mercure est le « Maître » du jaune. Tout cela remonte à la plus ancienne mythologie orientale; tout comme les

Grecs avaient leurs dieux et leurs déesses qui parcouraient les cieux dans leurs chars de feu, ainsi les peuples d'Orient ont leurs mythes et leurs légendes, mais ils ont accordé des couleurs aux planètes, disant que telle ou telle couleur est « gouvernée » par la planète correspondante.

La note de musique du vert est le *fa*. C'est la couleur de la croissance et certains affirment que les plantes peuvent être stimulées par les notes de musique qui leur conviennent. C'est Saturne qui gouverne le vert. Il est intéressant de noter que les Anciens ont fait dériver ces couleurs des sensations qu'ils recevaient lorsqu'ils contemplaient certaine planète au cours de leurs méditations. Beaucoup d'entre eux allaient méditer sur les sommets les plus élevés du monde, dans l'Himalaya par exemple, et lorsqu'on se trouve à plus de cinq mille mètres d'altitude l'air est raréfié et les planètes peuvent être vues plus nettement, la perception est plus aiguë. Ainsi, les Sages de jadis ont établi la carte des couleurs des planètes.

La note du bleu est le *sol*, gouverné par la planète Jupiter. L'indigo est le *la* et on le dit gouverné par Vénus. Dans son aspect favorable, Vénus confère les dons artistiques et la pureté de pensée. C'est uniquement lorsqu'elle influe sur des personnes aux vibrations basses que Vénus conduit à divers excès. Le violet correspond à la note *si* et il est gouverné par la Lune. Là encore, si la personne est bien orientée, la Lune, ou le violet, lui apporte la clarté de pensée, la spiritualité et l'imagination contrôlée, mais si les aspects sont mauvais, alors ce sont les troubles mentaux, la personne est « lunatique ».

★

Une espèce de fourreau enferme complètement le corps humain, l'éthérique et l'aura. En quelque sorte, l'entité humaine, constituée par le corps au centre, puis l'éthérique et l'aura, est comme enveloppée dans un sac. Prenons pour exemple un œuf de poule. A l'intérieur se trouve le jaune, correspondant au corps humain puis le blanc d'œuf, qui représente à la fois l'éthérique et l'aura. Mais entre la coquille de l'œuf et le blanc, nous trouvons une fine pellicule, mince mais fort solide! Lorsqu'on cuit un œuf dur, on peut ensuite peler facilement cette peau. L'entité humaine est ainsi. Elle est entièrement enveloppée dans une espèce de fine pellicule. Cette peau est totalement transparente et, sous l'impact des vibrations de l'aura, elle ondule un peu mais cherche toujours à reprendre sa forme ovoïde, comme un ballon sur lequel on appuie le doigt reprend la sienne, parce que la pression intérieure est plus forte que la pression extérieure. Vous comprendrez mieux si vous imaginez le corps, l'éthérique et l'aura enfermés dans un sac de plastique transparent (fig. 6).

Lorsque l'on pense, on projette des vibrations depuis le cerveau vers l'éthérique et l'aura, jusqu'à la peau aurique. Là, sur la surface externe de cette enveloppe, des images se forment et on voit ses pensées. Comme dans bien d'autres cas, c'est un nouvel exemple correspondant à la radio ou à la télévision. A la base du tube cathodique il y a ce que l'on pourrait appeler un « fusil à électrons » qui projette à grande vitesse des électrons sur l'écran fluorescent et y provoque des points de lumière qui persistent assez longtemps pour que l'œil transporte

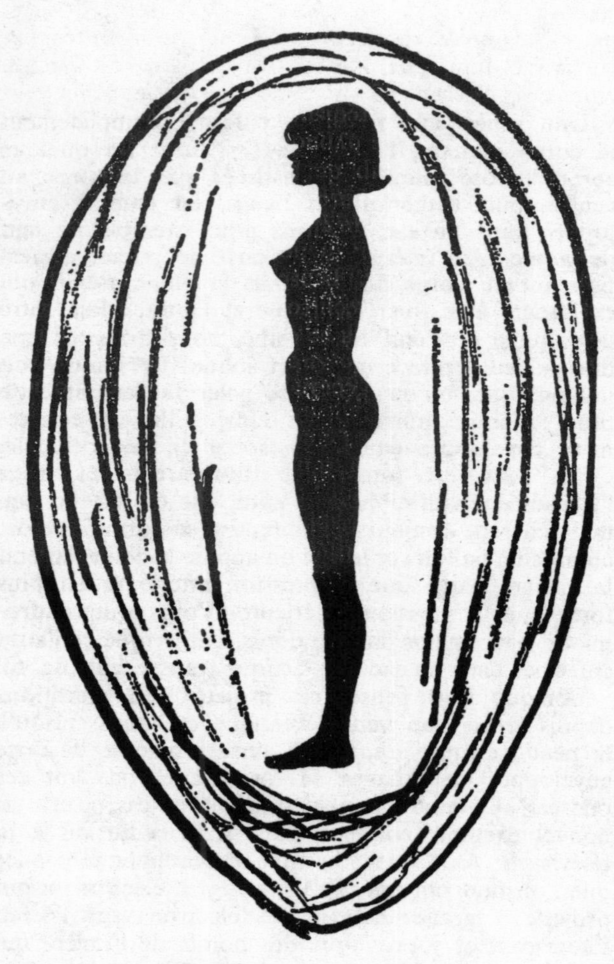

Fig. 6 : Le fourreau aurique

par « mémoire résiduelle » l'image représentée par ces points lumineux. Ainsi, l'œil humain voit l'image entière sur l'écran. Tandis que les images de l'émetteur varient, celles que vous voyez sur votre petit écran varient aussi. De la même façon, les pensées émises par notre émetteur, le cerveau, atteignent le fourreau recouvrant l'aura. Là elles rebondissent et forment des images qu'un clairvoyant peut distinguer. Mais nous ne voyons pas seulement les images des pensées présentes, nous pouvons voir aussi ce qui a été!

Il est facile pour un adepte de considérer une personne et de voir réellement, sur la couverture externe de l'aura, certaines choses que le sujet a faites au cours de deux ou trois vies antérieures. Cela peut paraître fantastique au profane, mais c'est néanmoins parfaitement véridique.

La matière ne peut être détruite. Tout ce qui a été existe encore. Si vous émettez un son, la vibration de ce son — l'énergie qu'il provoque — continue éternellement. Si, par exemple, vous pouviez être instantanément transporté dans une très lointaine planète, vous y verriez (à condition d'avoir les instruments nécessaires) des images de ce qui s'est passé il y a des millénaires. La lumière a une vitesse propre, connue, et la lumière ne s'éteint pas, donc si vous êtes transporté, instantanément, à une distance suffisante de la Terre vous pourrez assister à sa création! Mais nous nous éloignons de notre sujet. Nous voulons établir que le subconscient, non contrôlé par le conscient, peut projeter des images au-delà de la portée du conscient. Ainsi, une personne douée d'un grand pouvoir de clairvoyance peut savoir immédiatement quel être est en face d'elle. C'est une forme avancée de psychométrie, ce que l'on pourrait appeler la « psychométrie visuelle ». Nous aborderons plus tard le chapitre de la psychométrie.

Tout le monde, à condition d'avoir un minimum de sensibilité et de perception, peut sentir une aura, même si elle reste invisible. Combien de fois n'avons-nous pas été instinctivement attirés par une personne avant même de lui avoir parlé? Combien de fois n'avons-nous pas éprouvé une soudaine méfiance? La perception inconsciente de l'aura explique ces amitiés ou inimitiés instinctives. Jadis, tous les peuples pouvaient voir l'aura mais, à la suite de divers abus, ils ont perdu ce pouvoir. Dans les siècles à venir, les peuples vont le regagner et la télépathie comme la clairvoyance seront choses courantes.

Allons plus loin dans cette question de l'amitié et de l'inimitié. Chaque aura est composée de nombreuses couleurs bigarrées. Afin que deux personnes soient compatibles, il est indispensable que les couleurs s'assortissent. Il arrive souvent qu'un mari et sa femme soient très compatibles dans un ou deux domaines et complètement incompatibles dans d'autres. C'est parce que la forme ondulée particulière à une des auras touche en des points définis celle du partenaire, et, sur ces points, le couple sera en parfait accord. Si vous préférez, nous pouvons dire que les personnes compatibles ont des couleurs auriques qui s'harmonisent, alors que chez ceux qui sont incompatibles elles se heurtent désagréablement.

Les individus appartiennent à certains types. Ceux d'un même type ont une fréquence commune et ont tendance à vivre en groupe. On voit souvent une bande de jeunes filles sortir ensemble, ou un groupe de garçons traîner dans les rues et former des gangs. C'est parce que ces individus ont une fréquence ou un type d'aura communs, ils dépendent les uns des autres; ils ont une attraction magnétique les uns pour les autres, et la personne la plus forte du groupe dominera toutes les autres, les influencera pour le bien ou le mal. La jeunesse devrait être entraînée, par la discipline et l'autodiscipline, à contrôler ses impulsions les plus élémentaires afin que la race s'améliore.

Nous venons au monde avec certains potentiels, certaines limites à la coloration de notre aura, à la fréquence de nos vibrations, et il est ainsi possible à la personne résolue et bien intentionnée d'améliorer son aura. Hélas, il est beaucoup plus facile de l'altérer! Socrate, par exemple, savait qu'il serait un bon assassin, mais il n'entendait pas se plier aux coups du sort, aussi prit-il des mesures pour changer le cours de sa vie. Au lieu d'être un assassin, Socrate est devenu le plus grand sage de son temps. Nous pouvons tous, si nous le voulons, élever nos pensées de plus en plus haut, et améliorer ainsi notre aura. Une personne qui possède une couleur rouge brunâtre dans son aura, ce qui dénote une sexualité excessive, peut accroître la fréquence de vibrations du rouge en sublimant ses désirs sexuels et en les transformant en volonté constructive.

L'aura disparaît tout de suite après la mort mais l'éthérique peut demeurer encore longtemps; tout dépend de l'état de santé de son ancien possesseur. L'éthérique peut devenir un fantôme, une « âme en peine » qui erre par le monde. A la campagne, beaucoup de gens ont vu une luminosité bleue au-dessus des tombes fraîches. C'est simplement l'éthérique qui se dissipe en quittant le corps en décomposition.

Dans l'aura, des vibrations basses provoquent des couleurs ternes, sourdes et sales, des couleurs qui répugnent. Plus les vibrations sont rapides, plus les couleurs deviennent brillantes et pures. Une bonne action fait briller les couleurs auriques, une mauvaise action les ternit et nous sommes alors d' « humeur sombre », nous avons des « idées noires ». Les bonnes actions, au contraire, nous font « voir la vie en rose ».

Il ne faut jamais oublier que la couleur est la principale indication qui nous est donnée sur les possibilités d'un individu. Les couleurs changent, naturellement, selon l'humeur, mais les teintes fondamentales sont immuables tant que la personne n'améliore (ou ne détériore) pas son caractère. En un mot, les couleurs fondamentales ne changent pas mais les fluctuations des teintes varient suivant l'humeur. Lorsque vous contemplez les couleurs de l'aura d'une personne, vous devez vous demander :

1. Quelle est la couleur ?
2. Est-elle claire, sale, transparente ?
3. Ondoie-t-elle au-dessus de certains endroits ou bien est-elle localisée en permanence sur un point ?
4. Est-ce une bande de couleur qui garde sa forme, ou bien y a-t-il des sommets et des creux ?
5. Nous devons aussi prendre bien garde de ne pas préjuger d'une personne car il est très facile de contempler une aura et de s'imaginer que ses couleurs sont ternes ou sales, alors que c'est faux. Ce sont peut-être nos propres mauvaises pensées qui les ternissent, car n'oubliez jamais que, lorsque vous regardez l'aura d'une personne, c'est d'abord à travers la vôtre !

★

Il existe un rapport très net entre les rythmes musicaux et mentaux. Le cerveau humain est une masse de vibrations provoquant les impulsions électriques qui s'en échappent. Un homme émet une note musicale qui dépend de sa fréquence de vibrations. Comme près d'une ruche on entend le bourdonnement des abeilles, de même peut-être quelques créatures peuvent entendre les êtres humains. Chaque individu possède sa propre note fondamentale qui est constamment émise, un peu comme un fil télégraphique émet une note par grand vent. De plus, la musique populaire est telle qu'elle est en rapport étroit avec les ondes du cerveau, avec l'harmonique des vibrations corporelles. Des chansons sont lancées que tout le monde siffle. On dit souvent qu'un air vous « trotte dans la tête ». Les chansons ou les airs à succès sont ceux qui s'accrochent aux ondes cervicales humaines jusqu'à ce que leur énergie fondamentale se dissipe.

La musique classique est d'une nature plus permanente. Elle fait vibrer agréablement notre formation d'ondes gouvernant l'ouïe. Quand les dirigeants d'une nation veulent soulever le peuple, ils font composer un hymne national. On entend l'hymne national et le cœur vibre d'émotion, on se lève, on pense à sa patrie avec tendresse, ou à ses ennemis avec haine. C'est simplement parce que les vibrations que nous appelons « son » ont fait réagir d'une certaine façon nos propres vibrations mentales. Il est ainsi possible de provoquer certaines réactions chez un être humain, en lui faisant entendre certaines formes de musique.

Les plus grands musiciens sont ceux qui, consciemment ou subconsciemment, peuvent voyager dans l'espace et qui parcourent des régions au-delà de la mort. Ils entendent la « musique des sphères ». Étant musiciens, cette musique céleste les impressionne énormément, elle demeure dans leur mémoire et, lorsqu'ils reviennent sur terre, ils sont immédiatement saisis par l' « inspiration ». Ils se précipitent vers leur piano ou leur papier à musique et notent aussitôt ce qu'ils peuvent se rappeler de la musique entendue dans l'astral. Puis, sans comprendre ce qui leur est arrivé, ils disent qu'ils ont composé tel ou tel morceau!

SEPTIÈME LEÇON

Cette leçon sera courte, mais elle est capitale. Il faut la lire avec le plus grand soin.

Bien des gens, qui cherchent à voir l'aura, s'impatientent, s'attendent à lire quelques instructions, à lever les yeux de leur livre et à voir aussitôt des auras se présenter à leur regard stupéfait. Ce n'est pas si simple! Bien des grands Maîtres ont travaillé une vie entière avant de voir une aura, mais nous affirmons que si une personne est sincère, si elle s'entraîne consciencieusement et si elle a la foi, elle verra l'aura. C'est à la portée de tous. Il suffit de persévérer.

Nous ne répéterons jamais assez que, si l'on veut voir l'aura dans sa plénitude, il faut contempler un corps nu, car les vêtements influencent l'aura. Une personne vous dira sans doute qu'elle ne mettra que des vêtements parfaitement propres, arrivant tout droit de chez le blanchisseur, ainsi cela ne pourra gêner son aura. Elle se trompe. A la blanchisserie, ses vêtements se sont trouvés en d'autres mains. C'est un travail monotone, les employés pensent à leurs propres soucis en pliant soigneusement les chemises. Les impressions de leur aura pénétreront le linge et quand la personne le revêtira elle revêtira aussi les impressions de quelqu'un d'autre. Difficile à croire ? Mais non ; supposez que vous ayez un aimant et que vous le touchiez du bout d'un couteau. Vous vous apercevrez ensuite que sa pointe est légèrement aimantée, elle s'est imprégnée de l'influence aurique de l'aimant. Il en est de même pour l'homme, sur qui les influences d'autres personnes peuvent « déteindre ».

Donc, si vous voulez voir la véritable aura, avec ses couleurs réelles, vous devez contempler un corps nu. Si vous regardez une femme, vous constaterez que les couleurs sont plus distinctes, plus fortes. Il n'est évidemment pas toujours facile de trouver une femme qui acceptera gentiment de se déshabiller pour vous, alors pourquoi ne pas commencer par votre propre corps ?

Vous devez être seul, absolument seul, dans votre salle de bains, par exemple. La lumière doit être extrêmement atténuée. Si votre ampoule est trop forte, accrochez une serviette sur la source de lumière de manière à y voir à peine. Petit avertissement : n'accrochez pas la serviette si près de l'ampoule qu'elle prenne feu. Vous ne cherchez pas à incendier votre maison mais à tamiser la lumière. Le plus simple serait de changer l'ampoule et d'en mettre une de très faible voltage, une veilleuse par exemple.

Cela fait, déshabillez-vous entièrement et contemplez-vous dans une glace en pied. N'essayez pas de voir pour le moment, détendez-vous simplement. Faites en sorte d'avoir derrière vous un rideau sombre, noir de préférence ou gris foncé afin d'avoir un fond neutre qui ne pourra influer sur les couleurs de l'aura.

Attendez un moment, en vous contemplant tout à fait normalement dans la glace, presque distraitement. Regardez votre tête, pouvez-vous voir une légère lueur bleue aux tempes ? Regardez le contour de votre corps, des bras aux hanches. Distinguez-vous une flamme bleuâtre comme celle d'une lampe à alcool ? Quand vous la verrez, vous aurez progressé. Vous ne verrez peut-être rien, certainement rien à la première tentative, ni à la deuxième ou à la troisième. De même le musicien ne peut pas obtenir les résultats qu'il désire la première, la deuxième ou la troisième fois qu'il joue une symphonie. Le musicien persévère et vous devez l'imiter. Avec de la pratique, vous parviendrez à voir l'éthérique et si vous travaillez encore, vous verrez l'aura. Mais, nous le répétons encore une fois, ce sera beaucoup plus facile si vous contemplez un corps nu.

Cela n'a rien de pervers. N'oubliez pas que « tout est pur aux purs ». Vous contemplez un corps nu, le vôtre ou celui d'une autre personne, pour une raison pure. Si vous avez des pensées impures vous ne pourrez jamais voir l'éthérique ni l'aura, vous ne verrez que ce que vous regardez !

Contemplez-vous avec attention. Cherchez à voir l'éthérique. Avec le temps, vous y parviendrez.

Il arrive qu'une personne s'impatiente de ne pas voir l'aura, mais elle sentira de petites démangeaisons dans les paumes, ou aux pieds, ou sur n'importe quelle partie du corps. C'est une sensation étrange qui ne peut tromper. Quand vous atteignez le stade des démangeaisons, vous n'êtes pas loin de l'état de voyance mais cela signifie que vous êtes trop tendu, ce qui vous empêche de voir ; il faut alors vous détendre et, quand vous serez complètement détendu, les démangeaisons cesseront et vous verrez l'éthérique ou l'aura.

En réalité, les démangeaisons sont provoquées par une concentration de votre force aurique dans vos paumes (ou ailleurs). Lorsque l'on a peur, ou que l'on est soumis à une tension quelconque, il arrive très souvent que l'on transpire, que l'on ait les paumes moites.

Lors de cette expérience psychique, les démangeaisons remplacent cette transpiration. C'est un bon signe, nous le répétons. Cela signifie — encore une répétition — que vous faites trop d'efforts et que vous avez besoin de vous détendre pour que l'éthérique, et peut-être même l'aura apparaissent à vos yeux éblouis.

De nombreuses personnes sont incapables de voir parfaitement leur aura parce qu'elles la contemplent dans un miroir, à travers cette aura. Le miroir déforme quelque peu les couleurs et reflète ces couleurs altérées à travers l'aura, ainsi le malheureux néophyte croit voir des couleurs plus ternes ou plus sombres qu'elles ne le sont en réalité. Imaginez un poisson, au fond d'un bassin, regardant une fleur que l'on tient au-dessus de la surface. Il ne percevra pas les couleurs réelles et la fleur sera déformée par la réfraction de l'eau et les petites vagues. De même vous pouvez être trompé quand vous regardez des profondeurs de votre propre aura et que vous voyez une image reflétée. C'est pour cela qu'il vaut toujours mieux contempler une autre personne.

Ici votre sujet doit être plein de bonne volonté et avoir la foi. Lorsqu'une personne expose sa nudité, il arrive généralement qu'elle soit gênée, nerveuse. Dans ce cas, l'éthérique se contracte et colle au corps tandis que l'aura se referme et cette rétraction fausse les couleurs. Il faut une grande pratique pour parvenir à un diagnostic mais l'essentiel est avant tout de *voir* les couleurs et peu importe qu'elles soient justes ou fausses.

Le meilleur moyen, pour mettre cette personne à l'aise, c'est de lui parler, normalement, de tout et de rien, pour apaiser ses craintes. Dès qu'elle sera détendue, l'éthérique reprendra ses proportions normales et l'aura s'épanouira pour remplir totalement le sac aurique.

L'expérience a beaucoup de traits communs avec l'hypnotisme; un hypnotiseur ne va pas s'emparer d'une personne dans la rue et l'hypnotiser immédiatement. De nombreuses séances sont nécessaires; l'hypnotiseur doit d'abord faire connaissance avec son patient, établir une forme de rapports, une compréhension mutuelle si l'on veut, et ce n'est qu'ensuite qu'il peut mettre son sujet en transes. Vous devez procéder de la même façon et, avant tout, ne jamais regarder fixement le corps nu; soyez naturel, comme si cette personne était tout habillée. La deuxième fois, le sujet sera déjà rassuré, plus calme, moins inquiet. A la troisième séance, vous pouvez vous permettre de regarder le corps, d'examiner ses contours et alors... distinguez-vous cette légère lueur bleue? Pouvez-vous voir ces bandes de couleurs tourbillonnant autour du corps, et ce halo jaune? Percevez-vous ces jeux de lumière jaillissant du sommet du crâne et s'épanouissant comme une fleur de lotus, comme un feu d'artifice ou une fontaine lumineuse?

Cette leçon est brève mais capitale. Nous vous conseillons d'attendre d'être de bonne humeur, paisible, sans soucis; vous ne devez pas avoir faim ni être repu. Allez alors dans votre salle de bains, prenez une douche si vous le désirez pour vous débarrasser des influences extérieures, et puis exercez-vous à voir votre aura.

Ce n'est qu'une question d'entraînement!

HUITIÈME LEÇON

Dans les premières leçons, nous avons établi que le corps était le noyau de l'éthérique et de l'aura; nous avons étudié ensuite l'éthérique, nous avons décrit les couleurs et les nuances, puis la pellicule aurique extérieure. Tout cela est extrêmement important, et nous vous conseillons de relire ces précédentes leçons car, dans celle-ci et la suivante, nous allons vous préparer à quitter votre corps. Si vous n'avez pas parfaitement compris la nature de l'éthérique, de l'aura et de la structure moléculaire du corps, vous risquez d'avoir bien des difficultés.

Le corps humain est formé d'une masse de protoplasme, c'est-à-dire une masse moléculaire occupant un certain volume spatial, un peu comme un univers occupe une certaine partie du cosmos. Nous allons maintenant plonger plus avant, quitter l'aura et l'éthérique pour pénétrer dans le corps, car cette enveloppe charnelle n'est qu'un véhicule, un costume de scène.

Il a été prouvé que deux objets ne peuvent occuper le même espace. C'est exact si l'on songe à des briques, des métaux, des pièces de bois, mais si ces deux objets ont des vibrations différentes, ou si l'espace entre leurs atomes, leurs neutrons ou leurs protons, est assez large, alors un autre objet peut facilement occuper cet espace libre. Cela paraît sans doute incompréhensible, alors nous allons donner des exemples faciles. Voici le premier :

Imaginez deux verres que vous remplissez d'eau, à ras bord. Si vous versez dans l'un d'eux un peu de sable, une cuillerée à café à peine, l'eau débordera, prouvant ainsi que l'eau et le sable ne peuvent occuper le même espace et que l'une doit céder la place à l'autre. Le sable, étant plus lourd, tombe au fond du verre, haussant ainsi le niveau d'eau, qui déborde aussitôt.

Dans l'autre verre, rempli jusqu'au bord comme le premier, versons du sucre en poudre. Nous constaterons alors que nous pouvons y jeter jusqu'à six cuillerées avant que l'eau déborde. La raison du phénomène est simple. Le sucre se dissout dans l'eau et ses molécules occupent des espaces entre les molécules d'eau, ainsi il ne prend pas de place. C'est seulement quand tout l'espace existant entre les molécules d'eau a été occupé que l'excès de sucre s'entassera dans le fond du verre et fera déborder l'eau. Ainsi, nous avons la preuve formelle que deux objets peuvent occuper en même temps le même espace.

Le système solaire nous fournit une autre illustration. C'est un objet, une entité. Il y a des molécules ou atomes, que nous appelons des mondes, qui se déplacent dans le cosmos. S'il était vrai que deux objets ne peuvent occuper le même espace, alors nous ne pourrions lancer des fusées dans l'espace ! Et des êtres d'un autre univers ne pourraient pénétrer dans le nôtre parce que dans ce cas ils occuperaient notre espace. Il est donc prouvé, encore une fois, que dans des conditions particulières, deux objets peuvent occuper le même espace.

Le corps humain, formé de molécules, contient aussi d'autres corps ténus, spirituels, que nous appelons des corps astraux. Leur composition est la même que celle du corps physique, en ce sens qu'ils sont formés de molécules. Mais elles sont beaucoup moins denses si bien qu'il est parfaitement possible pour un corps astral de se loger dans un corps physique, sans qu'aucun n'occupe la place ou l'espace nécessaire à l'autre.

Le corps astral et le corps physique sont reliés par la corde d'argent, qui est une masse de molécules vibrant à une vitesse incroyable. On peut l'assimiler au cordon ombilical qui relie la mère à son bébé; chez la mère, les impulsions, les impressions et la nourriture se transmettent à l'enfant avant sa naissance. Lorsque le bébé vient au monde et que le cordon ombilical est tranché, il « meurt », c'est-à-dire qu'il quitte la vie qu'il a connue pour devenir une entité propre, pour avoir une vie séparée de celle de la mère, une existence personnelle.

La corde d'argent relie le sur-moi au corps humain, et les impressions passent de l'un à l'autre à chaque minute de l'existence du corps charnel. Les impressions, les ordres, les leçons et même les nourritures spirituelles descendent du sur-moi vers le corps humain. Lorsque la mort survient, la corde d'argent est tranchée et le corps humain est abandonné, comme un costume usé, tandis que l'esprit s'évade.

Nous ne pouvons entrer dans trop de détails ici, il faudrait des volumes, mais il importe de faire observer qu'il existe un certain nombre de « corps spirituels ». En ce moment, nous nous occupons du corps charnel et du corps astral. Dans notre forme d'évolution actuelle, il existe neuf corps, chacun étant relié à l'autre par la corde d'argent mais nous nous consacrerons ici aux voyages astraux et à tout ce qui concerne le plan astral.

L'homme est donc un esprit provisoirement enfermé dans un corps de chair et d'os, afin qu'il puisse découvrir et vivre des expériences interdites à un esprit sans corps. L'homme charnel est gouverné par le sur-moi. Certains préfèrent parler d'âme, mais nous emploierons le terme « sur-moi » parce que l'âme est autre chose et se déplace à un niveau beaucoup plus élevé. Le sur-moi est le contrôleur et le conducteur du corps. Le cerveau humain est un relais, un standard téléphonique, une usine parfaitement automatisée si vous préférez. Il reçoit les messages du sur-moi et convertit ses commandements en activité chimique ou physique qui maintient le véhicule en état de marche (le corps en vie), en faisant fonctionner les muscles et le processus mental. Il renvoie de même au sur-moi les messages et les impressions recueillis par le corps.

En se libérant des limites corporelles, comme un conducteur quitte un instant son automobile, l'homme peut contempler l'univers de l'esprit et assimiler les leçons apprises par le corps, mais là nous parlons du physique et de l'astral en corrélation avec le sur-moi. Avec son corps astral, l'homme peut voyager dans des lieux éloignés l'espace d'un éclair, il peut aller n'importe où n'importe quand et même voir ce que font de vieux amis au même moment. Avec un peu d'entraînement, il peut visiter toutes les cités du monde, explorer leurs grandes bibliothèques. Rien n'est plus simple, avec de la pratique, que de chercher un livre dans une bibliothèque, et de lire la page que l'on veut. La plupart des gens pensent que l'on ne peut quitter son corps, parce que le monde occidental refuse de croire à ce qui ne peut être vu, touché, disséqué et discuté en termes fumeux qui ne signifient rien.

Les enfants croient aux fées; elles existent, bien sûr, mais nous, qui pouvons les voir et converser avec elles, les appelons les Esprits de la Nature. La plupart des très jeunes enfants ont des compagnons de jeux invisibles. Les adultes haussent les épaules, mais l'enfant sait que ces amis sont réels.

L'enfant grandit et les parents raillent ou réprouvent ce qu'ils appellent de l'imagination. Certains parents, qui ont oublié leur enfance et l'attitude de leurs propres parents, vont jusqu'à punir un enfant qu'ils traitent de menteur. Avec le temps, l'enfant finit par les croire, et oublie qu'il existe des Esprits de la Nature (ou fées), puis il devient adulte, il a des enfants et, à son tour, il se moque ou punit quand ses petits parlent des fées.

Les Orientaux et les Celtes n'ont pas ce cynisme; ils savent qu'il existe des Esprits de la Nature, qu'on les appelle fées, lutins ou korrigans, qu'ils existent et font du bien, et que l'homme dans son ignorance et son orgueil, en niant leur existence, se prive de joies merveilleuses et d'une extraordinaire source de science, car les Esprits de la Nature aident ceux qui les aiment, ceux qui croient en eux.

L'étendue des connaissances du sur-moi est illimitée, mais le corps physique a des limites réelles. Presque tout le monde quitte son corps pendant son sommeil. Puis, lorsqu'on se réveille, on dit que l'on a rêvé parce que, encore une fois, les hommes ont appris à croire que la vie terrestre est la seule qui importe, et qu'ils ne peuvent voyager dans l'espace quand ils dorment. Ainsi, de merveilleuses aventures passent pour des « rêves ». Il convient de préciser que jamais personne, aucun savant, aucun médecin, n'a pu expliquer ce qu'était le rêve.

Ceux qui croient peuvent quitter leur corps quand ils le veulent, peuvent voyager vite et loin et revenir dans leur corps en se souvenant parfaitement de ce qu'ils ont vu ou fait. Presque tout le monde peut quitter son corps pour un voyage astral, mais la foi est indispensable. Il faut se répéter qu'on le peut, et y croire. En fait, il est extrêmement facile de faire un voyage astral, une fois que l'on a surmonté le premier obstacle, la peur.

La peur est un frein terrible. La plupart des gens s'imaginent que quitter son corps c'est mourir; il faut se débarrasser de cette crainte. D'autres ont peur de ne pouvoir regagner leur corps ou que, pendant leur absence, une autre entité ait pris possession de leur enveloppe charnelle. C'est impossible, à moins que votre peur « ouvre les grilles ». La personne qui ne craint pas est à l'abri de tout mal; la corde d'argent ne peut se rompre pendant le voyage astral, personne ne peut prendre possession d'un corps, à moins qu'on n'invite l'invasion en étant terrifié.

Vous pourrez toujours, *toujours,* regagner votre corps, tout comme vous vous réveillez toujours après votre sommeil. La seule chose que vous devez craindre, c'est la peur d'avoir peur; la terreur est l'unique danger. Pourtant nous savons tous que ce que nous craignons le plus n'arrive jamais!

Après la peur, l'obstacle à franchir est la pensée, parce que la pensée, la raison posent un réel problème. Pensée et raison peuvent empêcher un homme d'escalader de hautes montagnes, car la raison lui dit qu'un faux pas risque de le faire tomber dans un gouffre. Il faut donc vaincre et supprimer la raison et la pensée. Vous pouvez diriger votre pensée, la projeter là où vous voulez. En pleine bataille, des soldats ont été grièvement blessés et n'ont rien senti. Pendant quelques instants, ils ne se sont même pas rendu compte qu'ils étaient blessés et c'est uniquement lorsqu'ils ont pris le temps de penser qu'ils ont éprouvé la douleur, et sont peut-être morts de frayeur !

La pensée, la raison et la peur freinent l'évolution spirituelle car, comme un instrument défectueux, elles déforment les ordres du sur-moi.

L'homme délivré de ses peurs stupides et de ses restrictions intellectuelles pourrait devenir un surhomme aux pouvoirs accrus, tant musculaires que mentaux. Voici un exemple : un homme timoré, faible, aux muscles presque atrophiés, traverse la rue. Il est distrait, ses pensées sont loin, il s'inquiète peut-être de son travail ou de ce que va dire sa femme s'il arrive en retard pour dîner. Soudain, le coup d'avertisseur d'une voiture le fait sursauter et, *sans penser*, l'homme fait un bond prodigieux digne d'un champion de saut en longueur ! Si ce même homme avait été handicapé par un processus de pensée, il aurait réfléchi au bond qu'il devait faire et dont il se savait incapable ; la voiture l'aurait écrasé. L'état de distraction a permis au sur-moi toujours vigilant de galvaniser les muscles grâce à une injection de produit chimique (dans ce cas, l'adrénaline) permettant au sujet de bondir instinctivement et de couvrir une distance dépassant ses forces conscientes.

Dans le monde occidental, l'homme a appris au berceau que la pensée, la raison « distinguent l'homme de l'animal ». Mais bien au contraire, la pensée incontrôlée maintient l'homme à un niveau beaucoup plus bas que certains animaux capables de voyages astraux! Personne ne niera que les chats, pour ne citer qu'eux, peuvent voir des choses qui échappent aux humains. Tout le monde a vu un chien « sentir » un éclair et courir se cacher bien avant le coup de tonnerre. Les animaux emploient un système de « raison » ou de « pensée » différent. Nous pouvons en faire autant!

Cependant, il faut avant tout savoir contrôler nos pensées, chasser les intruses. Asseyez-vous confortablement, dans un lieu où vous pourrez vous détendre complètement et où personne ne viendra vous déranger. Si vous le désirez, éteignez la lumière ou fermez les rideaux, car dans un cas tel que celui-ci la lumière peut être gênante. Pendant quelques minutes, ne faites rien, pensez à vos pensées, regardez-les, considérez-les, voyez comment elles s'insinuent dans votre état conscient, exigeant votre attention à tour de rôle, rappelant une querelle avec votre collègue de bureau, les factures à payer, le coût de la vie, la situation internationale, ce que vous voudriez dire à votre patron... Chassez-les toutes, d'un bon coup de balai!

Imaginez que vous soyez assis dans une pièce totalement obscure au sommet d'un gratte-ciel; devant vous il y a une grande baie cachée par un store noir, un rideau sombre et uni, sans motifs, sans rien qui puisse distraire votre attention. Concentrez votre esprit sur ce rideau. Premièrement, assurez-vous qu'aucune pensée ne cherche à envahir votre « conscient » (représenté par le rideau noir) et si elles surgissent repoussez-les, jetez-les par-dessus bord. Vous le pourrez, ce n'est qu'une question d'entraînement. Pendant quelques instants, les pensées s'efforceront de hausser la tête au bord de cet écran noir; repoussez-les, forcez-vous à les vaincre et puis concentrez de nouveau votre esprit sur le rideau noir et ordonnez-vous de vous hausser de façon à voir ce qu'il y a au-delà.

Encore une fois, tandis que vous contemplerez ce néant imaginaire, vous constaterez que toutes sortes de pensées tentent de s'y insinuer, de forcer votre attention. Repoussez-les, repoussez-les en faisant un effort conscient, refusez de vous laisser envahir par ces pensées (oui, nous savons que nous nous répétons mais nous voulons vous enfoncer cela dans la tête). Lorsque, enfin, vous pourrez, pendant un bref instant, garder une impression de néant total, vous aurez conscience d'une espèce de déchirement, et puis vous pourrez voir, vous pourrez vous éloigner de notre monde banal pour vous plonger dans un univers d'une autre dimension où le temps et l'espace n'ont plus le même sens. En répétant cet exercice, en vous entraînant, vous découvrirez bientôt que vous êtes capable de contrôler vos pensées, tout comme les Maîtres et les Adeptes.

NEUVIÈME LEÇON

Comme nous venons de l'étudier, la pensée va où vous voulez l'envoyer. Hors de votre corps si vous le désirez. Nous allons procéder à un nouvel exercice. Encore une fois, il vous faudra être seul, tout à fait seul dans un lieu où rien ne peut venir vous distraire. Vous allez tenter de sortir de votre corps. Vous devez être parfaitement détendu, aussi nous vous conseillons de vous allonger sur un lit. Assurez-vous que personne ne vous dérangera. Lorsque vous serez installé, respirez lentement en pensant à cette expérience et concentrez votre esprit sur un point situé à deux mètres de vous. Fermez les yeux, concentrez-vous, pensez de toute la force de votre volonté que vous — votre moi réel, votre corps astral — vous vous contemplez d'une distance de deux mètres.

Au début, vous devrez faire bien des efforts. Vous aurez peut-être l'impression de vous trouver à l'intérieur d'un grand ballon de caoutchouc dont vous cherchez à vous évader. Vous pousserez, vous pousserez et il ne se passera rien jusqu'à ce que, soudain, vous jaillissiez à l'extérieur. Vous éprouverez alors un léger choc, une sensation d'éclatement, comme lorsqu'on perce un ballon d'enfant. Ne vous alarmez surtout pas, n'ayez pas peur car si vous réussissez à vous délivrer de la crainte vous voyagerez sans fin, vous irez de plus en plus loin tandis que, si vous vous abandonnez à la peur, vous reviendrez brusquement dans votre corps physique et tout sera à recommencer. Dans ce cas il sera inutile de poursuivre l'expérience car vous ne parviendriez à rien ce jour-là. Il vous faudra d'abord dormir, vous reposer.

Allons plus loin, imaginons que vous êtes sorti de votre corps grâce à cette méthode très simple et que vous contemplez votre enveloppe charnelle en vous demandant ce que vous devez faire à présent. Ne vous attardez pas dans cette contemplation, vous reverrez souvent votre corps de cette façon. Faites plutôt ceci :

Laissez-vous flotter dans la pièce, comme une bulle de savon, car vous ne pesez pas davantage, maintenant. Vous ne pouvez tomber ni vous blesser. Laissez votre corps physique se reposer tranquillement. Avant de la quitter vous aurez pris soin d'installer très confortablement votre enveloppe charnelle car si vous ne prenez pas cette précaution vous risquez à votre retour d'avoir des crampes douloureuses, ou des « fourmis » dans un bras si vous l'avez laissé pendre sur le bord du lit et qu'un nerf soit touché.

Maintenant, laissez votre corps astral flotter librement. Explorez le plafond, tous les endroits que vous ne pouvez voir normalement. Accoutumez-vous à cette forme élémentaire de déplacement astral parce que, tant que vous ne serez pas habitué à errer immatériellement dans la pièce, vous ne pourrez vous aventurer au-dehors.

Il arrive souvent que, au moment de s'endormir, on sursaute, que l'on ait l'impression de « rater une marche » et ce sursaut est souvent si brutal qu'il vous réveille complètement. Cette impression est provoquée par une séparation trop brutale du corps astral et du corps physique, ou d'un retour trop brusque à la suite d'une frayeur.

Mais revenons-en à votre corps astral qui s'est lentement détaché de l'enveloppe physique et s'élève en flottant à un mètre de vous. En vous endormant vous avez eu une sensation de flottement, justement, c'était votre corps astral qui s'élevait. Il est maintenant allongé en l'air au-dessus de vous et relié par la corde d'argent qui monte de votre ombilic au sien (Fig. 7).

Ne regardez pas trop attentivement ce corps astral en lévitation parce que, si vous êtes surpris ou si vous avez peur, il rentrera vivement dans son enveloppe physique et tout sera à recommencer plus tard. Supposons que vous suiviez bien nos conseils et que vous ne sursautiez pas, alors le corps astral flottera un moment au-dessus de vous; vous ne devez rien faire, même pas penser mais respirer paisiblement, régulièrement, car c'est votre première sortie et vous devez être très prudent pendant ce premier voyage *conscient*.

Si vous n'avez pas peur, si vous ne bougez pas, le corps astral s'éloignera lentement, flottera doucement vers le pied ou le chevet du lit et, sans le moindre choc, il descendra jusqu'à ce que ses pieds effleurent le plancher. C'est au cours de cet « atterrissage en douceur » que l'astral pourra contempler le physique et ré-émettre ce qu'il a vu.

Vous éprouverez une sensation de malaise en voyant votre corps physique et nous préférons vous dire tout de suite que c'est parfois humiliant. Bien souvent nous ignorons totalement notre aspect. Avez-

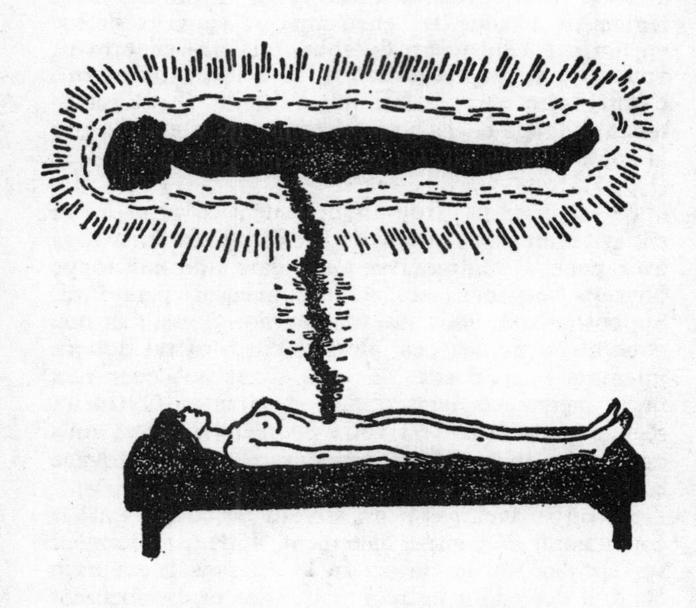

Fig. 7 : Élévation du corps astral

vous jamais entendu votre voix ? La première fois qu'elle a été enregistrée au magnétophone et que vous l'avez écoutée vous avez refusé de vous reconnaître, vous avez cru qu'on vous jouait un mauvais tour, ou que l'enregistrement était défectueux. Vous avez peut-être été mortifié par un accent qui vous surprenait, ou peut-être agréablement surpris. Quel ne sera pas votre étonnement lorsque vous verrez votre corps pour la première fois !

Vous vous dresserez dans votre corps astral, votre conscience totalement transférée à l'astral et vous contemplerez ce corps physique étendu. Vous serez horrifié ; vous n'aimerez pas sa carrure ni son teint, vous serez atterré en voyant les rides ou les traits et, si vous progressez suffisamment pour voir les pensées, vous verrez des idées ou des phobies qui vous terrifieront au point que vous voudrez peut-être rentrer aussitôt dans votre corps. Supposons cependant que vous ne soyez ni surpris ni atterré ou que vous surmontiez votre terreur en vous rencontrant pour la première fois ; qu'allez-vous faire ? Vous devez savoir où vous voulez aller, ce que vous voulez voir, faire, entendre. Le plus facile est de rendre visite à une personne que vous connaissez bien, un ami cher ou un proche parent habitant une ville voisine. N'oubliez pas que c'est votre première sortie et que vous ne devez pas vous aventurer à l'inconnu mais choisir un lieu que vous connaissez bien et savoir comment vous y rendre ; il vous faudra suivre le même chemin que vous parcouriez physiquement.

Quittez votre chambre, allez dans la rue (ne vous inquiétez pas, nul ne peut voir votre corps astral), prenez le chemin que vous avez l'habitude de prendre, en gardant devant vous l'image de la personne que vous désirez aller voir et représentez-vous le moyen de vous rendre chez elle. Alors, très rapidement, en un instant, vous vous trouverez chez votre ami ou votre parent.

Avec de la pratique, on peut aller partout, car les murs, les océans et les montagnes ne présentent aucun obstacle à votre voyage. Vous pourrez visiter tous les pays du monde.

Vous me direz peut-être : « Mon Dieu ! Et si je ne peux pas revenir ? » N'ayez crainte, vous ne pouvez absolument pas vous perdre. Il est impossible de se perdre, comme de se blesser ou de s'apercevoir que votre corps a été envahi pendant votre absence. Si quelqu'un s'approche de votre corps pendant que vous faites un voyage astral vous recevez un avertissement et vous êtes ramené à la vitesse de la pensée. Vous ne risquez absolument rien, le seul mal est la peur. Alors ne craignez rien mais essayez, et l'expérience vous apportera la réalisation de tous vos espoirs et de toutes vos ambitions dans le domaine du voyage astral.

Lorsque vous serez consciemment dans l'astral vous verrez les couleurs beaucoup plus belles qu'avec vos yeux physiques. Tout scintillera de vie, vous parviendrez même à voir des particules de « vie » comme des points lumineux autour de vous. C'est la vitalité de la terre et quand vous la traverserez vous en tirerez de la force et du courage.

Malheureusement, on ne peut rien emporter avec soi, et on ne peut rien rapporter. Il est naturellement possible, dans certaines conditions — et uniquement lorsqu'on a une grande expérience — de se matérialiser devant un clairvoyant, mais il n'est pas facile de s'approcher d'une personne pour faire un diagnostic de son état de santé car il faut pouvoir parler de ces choses. Vous pouvez aller dans un magasin, examiner les marchandises et choisir ce que vous allez acheter le lendemain; c'est autorisé. Bien souvent, quand vous visitez une boutique avec votre corps astral vous percevez les défauts ou la mauvaise qualité de tel ou tel objet vendu à un prix fort élevé!

Quand vous vous trouvez dans l'astral et que vous voulez revenir dans le physique vous devez rester calme, penser au corps charnel, penser que vous y retournez et que vous désirez le réintégrer. Dès que vous aurez pensé cela, il se produira comme un tourbillon de vitesse ou peut-être même un déplacement instantané, de l'endroit où vous êtes à ce point situé à un mètre environ au-dessus du corps allongé. Vous vous retrouverez flottant légèrement dans l'atmosphère, comme au moment où vous avez quitté votre corps. Alors laissez-vous tomber très, très lentement, ne vous pressez surtout pas, car les deux corps doivent être absolument synchrones.

Si vous vous y prenez bien, vous rentrerez dans votre corps sans à-coup, sans choc, sans autre sensation que celle de pénétrer dans une masse lourde et froide.

Si vous êtes maladroit et si vous n'alignez pas exactement les deux corps, ou si quelqu'un entre soudain et vous fait tomber brusquement, vous souffrirez d'une forte migraine ou de douleurs dans les membres. Dans ce cas, vous devez essayer de vous endormir, ou de vous forcer à regagner l'astral parce que tant que les deux corps ne seront pas parfaitement alignés la migraine ne se dissipera pas. Cela n'a rien d'inquiétant car le remède est simple; il suffit de dormir, ne serait-ce que quelques minutes, ou de repartir dans l'astral.

Vous découvrirez peut-être, une fois revenu dans votre corps charnel, que vous êtes courbatu, raide, un peu comme lorsque l'on remet un costume qui a été mouillé la veille et n'est pas complètement sec. Tant que vous n'y serez pas habitué, le retour dans le corps ne sera guère plaisant et vous constaterez également que les merveilleuses couleurs que vous avez vues dans l'astral se sont ternies. Certaines seront impossibles à voir avec les yeux physiques et bien des sons que vous aurez entendus dans l'astral deviendront inaudibles à vos oreilles charnelles. Mais peu importe, vous êtes sur terre pour apprendre et, lorsque vous saurez pourquoi nous sommes sur cette terre, vous serez libre de tout lien, libéré des liens de la terre, et quand vous quitterez définitivement votre corps charnel, lorsque la corde d'argent sera tranchée, vous partirez vers des régions bien plus hautes que l'univers astral.

Entraînez-vous au voyage astral et persévérez. Éloignez de vous toute crainte, car si vous n'avez pas peur, vous n'avez rien à craindre, aucun mal ne peut vous frapper et vous ne connaîtrez que des joies.

DIXIÈME LEÇON

Nous avons expliqué qu'il n'y a rien d'autre à craindre que la peur. Nous devons le répéter : tant qu'une personne chasse toute peur, elle ne court aucun danger en voyageant dans l'astral, à quelque distance, à quelque vitesse que ce soit. Mais, me direz-vous sans doute, qu'y a-t-il donc à craindre? Nous allons consacrer cette leçon à la peur et à ce qui ne doit pas être craint.

La peur est une attitude négative, qui appauvrit notre perception. Quelle que soit la chose que nous puissions craindre, toute forme de peur est maléfique.

On peut avoir peur de ne pouvoir regagner son corps si l'on s'en va dans l'astral. Mais il est toujours possible d'y retourner, à moins d'être à l'article de la mort, d'avoir accompli son temps sur la Terre et cela, vous en conviendrez, n'a pas le moindre rapport avec le voyage astral. Il est possible, naturellement, que l'on soit paralysé par la peur et incapable de faire quoi que ce soit. La terreur peut être telle que le corps astral ne peut bouger et cela retarde bien entendu le retour au corps physique, jusqu'à ce que la peur se calme. Car la peur n'est jamais permanente, aucune sensation ne peut durer longtemps.

Ainsi, la personne qui a peur retarde simplement son retour au corps physique.

Nous ne sommes pas la seule forme de vie existant dans l'astral, tout comme l'homme n'est pas l'unique forme de vie sur la terre. Dans notre monde, nous avons de charmantes créatures, comme les chiens, les chats, les chevaux et les oiseaux, mais aussi des êtres déplaisants, des araignées et des serpents venimeux, des microbes et des bacilles dangereux. Si vous les regardez au microscope vous verrez des créatures si fantastiques que vous vous croirez à l'âge des dragons. Dans le monde astral, il existe des choses bien plus étranges encore.

Nous rencontrerons dans l'astral des créatures remarquables ou des entités. Nous verrons les Esprits de la Nature, invariablement bons. Mais il y a aussi d'horribles créatures qui ont certainement été vues par certains auteurs de la mythologie et des légendes car elles ressemblent aux démons, aux satyres, à tous les êtres maléfiques des mythes. Certaines sont des éléments primitifs qui deviendront peut-être plus tard des humains, ou d'autres des animaux. Quoi qu'il en soit, à leur stade de développement, elles sont vraiment désagréables.

Nous ferons observer ici que les ivrognes qui voient des « éléphants roses » et autres apparitions extraordinaires voient réellement ces créatures! Les ivrognes sont des gens qui ont quitté leur corps physique et entraîné leur corps astral dans les lieux les plus bas du monde astral. Là, ils rencontrent des créatures terrifiantes et quand ils reprennent leurs sens, autant qu'ils le peuvent, ils gardent un souvenir très vif de ce qu'ils ont vu. Si l'ivrognerie est une méthode permettant de pénétrer dans le monde astral et de se le rappeler elle est à déconseiller fortement, car elle ne peut entraîner que dans les niveaux les plus bas, les plus vils de l'astral. Certaines drogues, employées en médecine pour soigner les maladies mentales, produisent le même effet. La mescaline, par exemple, peut altérer les vibrations d'une personne au point qu'elle est littéralement éjectée du physique et catapultée dans l'astral. Nous ne pouvons recommander cette méthode, non plus. Les drogues et les autres moyens permettant de quitter le corps physique sont dangereux car ils blessent le sur-moi.

Mais revenons à nos créatures « élémentaires ». Qu'appelons-nous « élémentaires » ? C'est une forme primitive de vie spirituelle. Elles sont à l'échelon supérieur aux formes de pensée. Ces formes de pensées sont simplement des projections de l'esprit conscient ou inconscient de l'homme et n'ont qu'une pseudo-vie propre. Les formes de pensée ont été créées par les anciens prêtres égyptiens afin que les corps momifiés des grands pharaons et des reines soient protégés contre ceux qui profaneraient un jour leur tombeau. Les formes de pensée sont construites dans l'intention de repousser les envahisseurs, de frapper le conscient des profanateurs en leur causant une telle terreur qu'ils prennent la fuite. Nous ne nous occuperons pas des formes de pensée car ce ne sont que des entités sans esprit chargées par les prêtres de jadis d'accomplir certaines tâches, de garder les tombes contre les profanateurs. Pour le moment, nous nous intéressons aux élémentaires.

Comme nous l'avons vu plus haut, il s'agit là d'un peuple de l'esprit à ses premiers stades de développement. Dans le monde spirituel, astral, ils correspondent assez à la position occupée par les singes dans le monde terrestre. Les singes sont irresponsables, taquins, souvent méchants et n'ont pas le moindre raisonnement. Ce ne sont en fait que des fragments de protoplasme animés. Les élémentaires, que l'on peut comparer aux singes terrestres, sont des formes qui errent dans l'astral à l'aventure; elles crient et font d'horribles grimaces, des gestes menaçants qui peuvent effrayer l'humain en voyage astral, mais elles ne peuvent lui faire aucun mal. Il importe de le répéter : elles ne peuvent vous faire aucun mal.

Quand vous visiterez ces niveaux astraux très bas, vous rencontrerez peut-être ces créatures étranges. Si le voyageur est timoré, elles l'entoureront pour tenter de l'effrayer. Elles sont inoffensives, à moins que l'on en ait peur. Lorsqu'on commence à voyager dans l'astral, il arrive souvent que trois ou quatre de ces créatures, de ces entités élémentaires, se réunissent pour voir comment « on se débrouille », un peu comme des gens observeront en ricanant un conducteur novice. Les spectateurs espèrent toujours assister à un accident et leur attitude énervera le nouveau conducteur au point qu'il risque fort d'aller se jeter contre un bec de gaz à la grande joie des badauds. Ces spectateurs ne veulent pas faire de mal, mais ils cherchent simplement une occasion de rire à bon compte. Les élémentaires agissent de même. Cela les amuse d'assister à la déconfiture des humains; par conséquent, si vous vous laissez énerver, si vous montrez votre peur, elles seront enchantées et reprendront de plus belle leurs gesticulations et leurs mines menaçantes. Mais elles ne peuvent absolument rien faire, elles sont comme des chiens qui ne font qu'aboyer et chacun sait que « chien qui aboie ne mord pas ». De plus, elles ne peuvent vous irriter que dans la mesure où, par votre peur, vous le leur permettrez.

N'ayez crainte, il ne peut rien vous arriver. Vous quittez votre corps, vous vous élevez dans l'astral et, 99 fois sur 100, vous ne verrez même pas ces entités élémentaires. Nous répétons que vous ne les verrez que si vous en avez peur. Normalement, vous vous élèverez au-delà de leur domaine car elles grouillent tout au fond du plan astral, comme les vers au fond d'une mare.

En montant toujours plus haut à travers les plans astraux, vous verrez sans doute des choses remarquables. Vous apercevrez peut-être dans le lointain de grands faisceaux de lumière brillante. Ils proviennent des plans d'existence qui ne sont pas encore à votre portée. Rappelez-vous notre clavier. L'entité humaine, dans sa chair, ne peut capter que trois ou quatre « notes » mais, en sortant de son corps physique et en pénétrant dans le monde astral, elle étend en quelque sorte sa longueur d'onde et vous percevez alors des « notes » plus élevées. Certaines de ces « choses » sont représentées par ces lumières si brillantes que vous ne pouvez distinguer ce qu'elles sont.

Mais pour le moment, contentons-nous de visiter l'astral moyen. Là, vous pouvez rendre visite à vos parents et à vos amis, vous pouvez visiter toutes les villes du monde, voir les merveilleux monuments, lire des livres écrits dans des langues inconnues, car n'oubliez pas que, sur le plan astral, aucun langage ne vous est étranger.

Il vous faudra vous habituer au voyage astral, vous entraîner beaucoup. Voici ce que vous pourrez alors voir et connaître.

Le soir tombe, les ombres de la nuit s'allongent, le ciel s'assombrit, passe de l'indigo au violet, puis au noir. De petites lumières jaillissent partout, les réverbères s'allument, les fenêtres aussi et leur lumière est souvent colorée par les rideaux des maisons.

Le corps était étendu sur son lit, pleinement conscient, tout à fait détendu. Graduellement, il éprouva une légère sensation, un imperceptible craquement, l'impression que quelque chose change de place. Puis ce furent d'infimes démangeaisons et enfin, petit à petit, une séparation se produisit. Au-dessus du corps étendu un nuage apparut à l'extrémité de la corde d'argent. Il prit lentement la forme d'un corps humain, puis il s'éleva un peu et plana un moment. Le corps astral s'éleva encore, toujours plus haut, et enfin les pieds s'abaissèrent. Lentement, il retomba et se dressa debout au pied du lit, en contemplant le corps physique qu'il venait de quitter et auquel il était encore attaché.

Dans la chambre, les ombres allèrent se cacher dans les coins comme des bêtes effrayées. La corde d'argent vibrait et brillait, le corps astral était nimbé d'une lumière bleue argentée. Le corps astral contempla le corps physique paisiblement étendu, les yeux fermés, la respiration tranquille. La corde d'argent ne vibrait plus, par conséquent tout allait bien.

Satisfait, le corps astral s'éleva lentement dans les airs, traversa le plafond de la pièce, le toit de la maison et s'envola dans le crépuscule. La corde d'argent s'étira mais son épaisseur ne diminua pas. Le corps astral était comme un ballon relié à la maison où se trouvait le corps physique. Il s'éleva encore au-dessus des toits, à cinquante, cent, deux cents mètres puis il s'arrêta et, planant doucement, il regarda autour de lui.

De toutes les maisons de la rue, et des avenues du voisinage montaient de fines lueurs bleuâtres qui étaient les cordes d'argent d'autres personnes. Elles s'élevaient et disparaissaient dans l'infini. Les hommes voyagent toujours de nuit, qu'ils le sachent ou non, mais seuls les plus favorisés, ceux qui s'entraînent, reviennent en gardant le souvenir très vif de tout ce qu'ils ont fait.

Notre corps astral flottait donc au-dessus des toits, regardait autour de lui et se demandait où il irait. Enfin, il prit la décision de visiter un très lointain pays. A l'instant même où il se décida, il s'élança à une vitesse fantastique, tourbillonnant avec la rapidité de la pensée par-delà les terres, par-delà les mers aux vagues tumultueuses. Au cours de sa traversée, il contempla au-dessous de lui un grand paquebot tout illuminé d'où montait de la musique. Le corps astral voyageait si vite qu'il dépassa le temps. La nuit fit place à la soirée précédente, et puis ce furent l'après-midi, la matinée. Enfin, le corps astral aperçut, dans le grand soleil, ce qu'il était venu voir, ce pays si éloigné et si cher à son cœur. Doucement, il descendit sur terre et se mêla, invisible, inaudible, à la foule des corps physiques.

Enfin, il sentit un tiraillement de la corde d'argent. Là-bas au loin, dans un autre pays, le corps physique qui était resté étendu sentait que le jour se levait et rappelait son astral. Pendant quelques instants l'astral s'attarda mais, finalement, il dut se soumettre à l'appel pressant. Il s'éleva rapidement dans les airs, plana un moment comme un pigeon voyageur qui s'oriente et puis il survola de nouveau les mers, les terres, fila dans les cieux vers son toit. D'autres cordes d'argent frémissaient aussi, d'autres êtres regagnaient leur corps physique, mais notre astral traversa le toit et le plafond et se plaça au-dessus du corps physique, très exactement. Très lentement, très doucement, avec un soin infini, il descendit et se confondit avec son corps. Pendant un moment il éprouva une sensation de froid intense, de lourdeur aussi. Envolées l'impression de liberté, de légèreté, les brillantes couleurs vues dans l'astral. Tout était froid, comme lorsqu'on met un vêtement mouillé.

Le corps physique s'anima et les yeux s'ouvrirent. Les premières lueurs de l'aube montaient à l'horizon. Le corps murmura : « Je me rappelle tout ce que j'ai vu cette nuit. »

Vous aussi vous pouvez connaître ces joies, voyager dans l'astral, voir ceux que vous aimez et plus vos liens seront étroits plus vous voyagerez aisément. Mais cela nécessite de l'entraînement, de la pratique et encore de la pratique.

Vous n'y parviendrez pas en cinq minutes, ni en cinq jours. Vous devez « imaginez » que vous pouvez le faire. Vous êtes ce que vous croyez être. Vous pouvez faire ce que vous croyez sincèrement pouvoir faire. Si vous croyez, si vous avez la foi, si vous êtes intimement persuadé que vous pouvez faire une chose, alors vous le pouvez. Croyez, croyez, et pratiquez, et bientôt, vous aussi, vous voyagerez dans l'astral.

Encore une fois, nous le répétons, n'ayez aucune crainte car personne ne peut vous faire de mal dans l'astral, quel que soit l'aspect terrifiant des basses entités que vous rencontrerez peut-être, bien que ce soit très rare. Elles ne peuvent vous faire aucun mal, à moins que vous n'en ayez peur. L'absence de peur assure votre protection absolue.

Alors, voulez-vous essayer, voulez-vous vous entraîner, voulez-vous chercher où vous pourrez aller ? Allongez-vous sur votre lit, seul bien sûr, et dites-vous que vous allez cette nuit vous rendre à tel endroit, voir telle personne, et quand vous vous réveillerez au matin, vous vous rappellerez tout ce que vous avez vu et fait. Il suffit de vouloir, il suffit de s'entraîner.

ONZIÈME LEÇON

Nous vous conseillons de lire très attentivement cette leçon, et puis de choisir la soirée que vous voudrez consacrer à votre voyage astral. Préparez-vous à l'avance, en vous répétant que, ce soir-là, vous quitterez votre corps et resterez pleinement conscient de tout ce qui vous arrivera.

Il est indispensable de se préparer, de décider à l'avance de ce que l'on fera. Les Anciens employaient des « incantations »; autrement dit, ils récitaient une *mantra* (qui est une forme de prière) dont l'objet était de subjuguer le subconscient. Par la répétition de cette mantra, le conscient, qui représente seulement un dixième de notre être, pouvait envoyer un ordre impératif au subconscient. Vous pouvez agir de même et réciter par exemple :

« Tel jour, je vais voyager dans le monde astral, et je vais rester entièrement conscient de ce que je ferai et de ce que je verrai. Je me le rappellerai lorsque j'aurai regagné mon corps. Je n'oublierai rien. »

Vous devrez répéter cette mantra par groupes de trois, c'est-à-dire la réciter et la réciter encore deux fois. Voici pourquoi : si on déclare une chose, cela ne suffit pas pour alerter le subconscient, parce qu'on ne cesse de penser, de déclarer des choses et notre subconscient doit se dire que le conscient est bien bavard! Mais si l'on répète une seconde fois les mêmes mots, exactement, le subconscient commence à dresser l'oreille. A la troisième affirmation, il écoute la mantra, qui est reçue et enregistrée. Supposons que vous récitiez les trois affirmations dans la matinée, vous devrez les répéter à midi et encore une fois le soir (si vous êtes seul, bien entendu) juste avant de vous endormir. C'est en somme comme lorsque l'on veut enfoncer un clou. Vous appuyez la pointe du clou contre le mur mais un seul coup de marteau ne suffit pas, vous devez continuer de taper jusqu'à ce que le clou soit enfoncé. Ainsi, les affirmations administrent des coups de marteau et enfoncent le désir dans la conscience du subconscient.

Cette méthode n'est pas nouvelle, elle est vieille comme le monde car les peuples anciens n'ignoraient rien des pouvoirs de la mantra et des affirmations; c'est nous qui avons oublié ou qui sommes devenus cyniques et incrédules. C'est pour cela que nous insistons; vous devez répéter ces affirmations pour vous seul, sans rien en dire à personne, car si des sceptiques savent ce que vous cherchez, ils se moqueront et pourront même insinuer des doutes dans votre esprit. Ce sont les gens qui ricanent et doutent qui ont empêché les adultes de voir les Esprits de la Nature et de converser télépathiquement avec les animaux, ne l'oubliez pas.

Vous avez choisi le jour, la soirée et, lorsque cette date viendra, vous devrez faire tout au monde pour rester calme, en paix avec vous-même et avec vos semblables. C'est d'une importance capitale. Il ne doit exister aucun conflit risquant de vous énerver. Supposons par exemple que ce jour-là vous ayez eu une violente discussion avec quelqu'un; vous penserez alors à ce que vous auriez pu rétorquer, vous vous rappellerez des mots blessants et votre attention ne sera pas uniquement concentrée sur votre voyage astral. Si vous êtes troublé ou angoissé au jour choisi, remettez à plus tard votre voyage, attendez une journée plus paisible.

Si tout est resté calme, si vous avez passé votre journée à songer avec une joie anticipée à votre voyage dans l'astral tout comme vous attendriez avec une joyeuse impatience une visite à un être cher que vous voyez trop rarement parce qu'il habite loin, alors retirez-vous dans votre chambre, déshabillez-vous lentement, en restant tout à fait calme, en respirant profondément. Assurez-vous que votre vêtement de nuit ne vous gêne en rien, qu'il n'est pas trop serré au cou ou à la taille car une gêne quelconque irrite le corps physique et risque de provoquer un sursaut au moment crucial. La température de votre chambre doit être agréable, ni trop chaude ni trop froide. Vos couvertures ne doivent pas être trop lourdes afin que vous ne vous sentiez pas oppressé par leur poids.

Tirez soigneusement vos rideaux, fermez vos volets, éteignez votre lumière. Cela fait, allongez-vous confortablement.

Une fois bien installé, détendez-vous, laissez-vous mollir. Ne vous endormez pas si vous pouvez l'éviter bien que, si vous avez bien répété votre mantra, le sommeil ne soit pas un obstacle à vos souvenirs. Nous vous conseillons de rester éveillé parce que ce premier voyage hors du corps est vraiment passionnant.

Bien couché, sur le dos de préférence, imaginez que vous poussez un autre corps hors de vous-même, imaginez que la forme spectrale de l'astral est chassée de vous. Vous la sentirez s'élever, se retirer des molécules de votre chair. Vous sentirez quelques légères démangeaisons, vite calmées. A ce moment, faites très attention, ne bougez pas brusquement, car un sursaut trop violent risque de rappeler brutalement le corps astral dans le physique.

La plupart des gens, pour ne pas dire tout le monde, ont eu l'impression de tomber au moment de s'endormir. Les sages pandits affirment que c'est une relique des temps où l'homme était un singe. A vrai dire, cette sensation de chute est causée par le sursaut qui fait retomber l'astral à peine libéré dans le corps physique.

Si vous savez qu'il y a un risque de sursaut, alors vous vous maîtrisez; vous devez donc connaître les difficultés afin de les surmonter. Quand les légères démangeaisons auront cessé, ne faites aucun mouvement bien que vous sentiez une fraîcheur soudaine, l'impression que quelque chose vous a quitté. Vous sentirez peut-être quelque chose juste au-dessus de vous comme si quelqu'un vous avait jeté un oreiller sur la figure. Ne vous troublez pas, et si vous gardez votre calme vous vous apercevrez soudain que vous vous contemplez vous-même, du pied du lit, ou même du haut du plafond.

Examinez-vous tranquillement et maîtrisez votre étonnement, car jamais vous ne vous verrez aussi clairement que cette première fois. Nous nous voyons dans la glace, bien sûr, mais nous ne voyons pas notre reflet réel. Par exemple, la gauche et la droite sont inversées, et il existe d'autres distorsions. Rien n'est comparable au premier regard que l'on jette sur soi-même.

Après cet examen, vous devrez vous entraîner à

évoluer dans la pièce; ouvrez un placard, des tiroirs de commode, observez avec quelle facilité vous vous déplacez. Allez contempler de près le plafond, tous ces endroits qui vous sont ordinairement inaccessibles. Vous serez certainement atterré en y trouvant beaucoup de poussière, mais elle vous permettra de vous livrer à une expérience utile ; essayez d'y laisser la trace de vos doigts et vous verrez que c'est impossible. Vos doigts, votre main, votre bras tout entier s'enfonceront dans le mur sans que vous éprouviez la moindre sensation.

Quand vous vous serez assuré que vous pouvez aller et venir à votre gré, regardez entre vos corps astral et physique. Voyez comme votre corde d'argent scintille ! S'il vous est arrivé d'entrer dans une forge d'autrefois, vous vous souviendrez du rougeoiement du fer et des étincelles qui jaillissent à chaque coup du marteau d'enclume, mais ici, au lieu d'être rouge vif, ces lueurs sont bleues et même parfois jaunes. Éloignez-vous de votre corps physique et la corde d'argent s'étirera souplement sans que son diamètre diminue. Contemplez encore une fois votre corps physique, et puis allez vers la destination que vous aurez choisie, pensez à la personne que vous voulez voir, ou au lieu, sans faire le moindre effort.

Vous vous élèverez alors, vous traverserez le plafond et le toit, vous verrez votre maison et votre rue. Puis, comme c'est votre premier voyage conscient, vous vous dirigerez assez lentement vers votre destination, et vous reconnaîtrez le terrain que vous survolez. Quand vous serez habitué au déplacement dans l'astral, vous voyagerez à la vitesse de la pensée et, à ce moment, rien ne vous sera interdit. Vous pourrez aller partout, sur terre et même ailleurs. Le corps astral n'a pas besoin d'oxygène, aussi vous pourrez vous transporter dans le cosmos, visiter d'autres planètes. Beaucoup de gens le font mais, malheureusement, ils ne peuvent s'en souvenir. Vous, cependant, avec de la pratique, vous vous rappellerez tout.

Si vous avez du mal à concentrer votre esprit sur la personne à qui vous voulez rendre visite, vous pouvez prendre une photographie, pas encadrée car elle pourrait tomber et le verre se briserait, risquant de vous couper! Prenez une simple photo d'amateur entre vos mains. Avant d'éteindre la lumière, contemplez-là avec attention, puis éteignez et efforcez-vous de garder une impression visuelle de la personne. Cela vous facilitera les choses.

Certains ne peuvent voyager dans l'astral s'ils sont à leur aise, s'ils sont confortables et bien au chaud. Ils ont besoin d'être mal à leur aise, d'avoir faim ou froid et dans certains cas, aussi extraordinaire que cela paraisse, il en est qui mangent délibérément un aliment qui ne leur convient pas afin d'avoir des brûlures d'estomac! Alors ils peuvent partir dans l'astral sans difficulté. Nous ne voyons qu'une raison à ce comportement étrange : le corps astral se hâte de quitter le corps physique où il souffre trop.

Au Tibet et en Inde, il y a des ermites enfermés dans des cellules, qui ne voient jamais la lumière du jour. Ils prennent un repas frugal tous les trois jours, mangeant tout juste de quoi ne pas mourir de faim, afin que la petite flamme de la vie ne s'éteigne pas. Ces hommes ont le pouvoir de voyager en permanence dans l'astral, leur corps astral va partout où il y a quelque chose à apprendre. Ils voyagent ainsi de façon à pouvoir converser avec les télépathes, afin d'essayer d'influencer les choses pour le bien de tous. Il est possible que, lors de vos voyages astraux, vous rencontriez de ces sages et alors vous aurez vraiment une chance infinie, car ils vous donneront des conseils et vous diront comment progresser encore dans la voie du bien.

Lisez et relisez cette leçon. Nous ne répéterons jamais assez que seules la pratique et la foi sont nécessaires pour vous permettre de voyager vous aussi dans l'astral et vous libérer des soucis de ce monde.

DOUZIÈME LEÇON

Il est beaucoup plus facile de voyager dans l'astral, de se livrer à des recherches métaphysiques ou à la clairvoyance si l'on a une base solide, si l'on s'y est bien préparé. L'entraînement métaphysique exige un travail considérable, incessant. Il ne suffit pas de lire quelques explications pour s'envoler aussitôt dans l'astral. Il faut travailler.

Personne ne s'attend à voir pousser des massifs de fleurs si des graines n'ont pas été plantées dans un terrain propice. Une rose admirable ne peut pousser dans du granit. Par conséquent, vous ne pouvez espérer atteindre la clairvoyance, ni pratiquer un art occulte, quel qu'il soit, si le terrain n'a pas été préparé, si l'esprit n'est qu'une rocaille de pensées dissonantes.

Les Sages de jadis exhortaient : « Soyez paisible et sachez que je suis avec vous. » Ils consacraient parfois une vie entière aux recherches métaphysiques avant d'oser écrire un mot. Ils se retiraient dans le désert, loin de la prétendue civilisation, dans le silence, où ils ne pouvaient être distraits par des bruits intempestifs. Vous avez l'immense avantage de pouvoir profiter des expériences de ces anciens sages sans consacrer votre vie entière à l'étude ! Si vous êtes sérieux, et si vous ne l'étiez pas vous ne liriez pas ceci, vous voudrez vous préparer au développement rapide de l'esprit et le meilleur moyen, pour atteindre cet épanouissement, c'est avant tout de se détendre.

La plupart des gens ne savent pas ce que c'est que de se détendre réellement. Ils s'imaginent qu'il suffit de s'affaler dans un fauteuil mais ils se trompent lourdement. Pour vous détendre, vous devez laisser tout votre corps s'assouplir, vous devez vous assurer qu'aucun de vos muscles n'est tendu. Vous ne pouvez mieux faire que de contempler un chat qui, mieux qu'aucun autre être vivant, sait se « laisser aller ». Le chat arrive, tourne un peu sur lui-même, puis se laisse tomber en un tas plus ou moins informe. Il ne se soucie pas de son aspect mais ne pense qu'à se détendre, à se reposer. Vous verrez le chat s'endormir instantanément, dès qu'il s'est complètement détendu.

Chacun sait sans doute qu'un chat voit des choses qui échappent aux humains. C'est parce que ses perceptions sont plus élevées sur notre « clavier »; ainsi il peut voir dans l'astral et pour un chat, une promenade dans l'astral est aussi simple que pour nous de traverser la rue. Plus simple, même ! Imitons donc le chat parce que nous serons alors sur un terrain ferme, et nous pourrons construire notre édifice de science métaphysique sur des bases solides.

Savez-vous comment vous détendre ? Pourriez-vous, sans autres instructions, vous laisser aller complètement, capter des impressions ? Voici comment vous y prendre : allongez-vous, dans une position confortable. S'il vous plaît d'écarter les bras ou les jambes, écartez-les. L'art de la parfaite détente est d'être parfaitement à son aise. Il vaudra mieux que vous vous détendiez dans l'intimité de votre chambre car beaucoup de personnes, surtout des femmes, n'aiment pas être vues dans une position qu'elles croient à tort disgracieuse, et, pour se détendre, il faut faire abstraction de toutes les conventions.

Imaginez que votre corps est une île peuplée d'êtres minuscules toujours dociles à vos commandements. Vous pouvez vous dire aussi, si vous préférez, que votre corps est un vaste complexe industriel où des techniciens hautement spécialisés et dociles tiennent les contrôles dans les divers « centres névralgiques » qui forment votre corps. Alors, quand vous voulez vous détendre, vous dites à ces employés que l'usine est fermée, qu'ils peuvent partir, qu'ils doivent stopper les machines et fermer provisoirement les bureaux.

Confortablement allongé, imaginez une foule de ces êtres minuscules dans vos doigts de pied, dans vos jambes, vos genoux, partout. Supposez que vous contemplez votre corps et que vous voyez tous ces petits êtres qui tiraillent vos muscles et vos nerfs. Contemplez-les comme si vous étiez très haut dans le ciel, et puis donnez-leur des ordres. Dites-leur de quitter vos bras, de se rassembler entre votre nombril et votre sternum, voyez-les avec votre esprit défiler en rangs le long de vos membres comme une foule d'ouvriers quittant leur lieu de travail la journée finie.

Pour venir se rassembler au lieu indiqué, ils auront quitté vos membres qui deviendront flasques, sans tension, sans sensation même, car ces petits êtres sont ceux qui font marcher votre mécanique, qui alimentent les stations de relais et les centres nerveux. Vos bras et vos jambes, sans être engourdis, n'auront plus aucune tension et la fatigue disparaîtra aussi. Nous pourrions même dire qu'ils ne « sont plus là ».

Tout votre petit peuple est maintenant massé comme une foule d'ouvriers à un meeting politique! Contemplez-les un moment avec les yeux de l'esprit, et puis ordonnez-leur de s'en aller, de quitter votre corps jusqu'à ce que vous leur disiez de revenir. Dites-leur de suivre la corde d'argent, de s'éloigner de vous. Ils doivent vous laisser en paix pendant que vous méditez, que vous vous détendez.

Imaginez la corde d'argent s'étirant à partir de votre corps physique vers l'infini. Voyez-la comme un tunnel, comme un métro, et imaginez tous les voyageurs pressés à l'heure de pointe, dans une grande ville telle que Londres, Paris ou New York. Voyez-les quitter la ville tous en même temps pour regagner leurs banlieues, imaginez les rames emportant tous les travailleurs, et la ville calme et paisible. Ordonnez à vos petits sujets de vous laisser, avec de l'entraînement c'est très facile! Puis vous serez en paix, libéré de la tension, vos nerfs et vos muscles ne travailleront plus. Restez immobile et lâchez la bride à votre esprit; peu importe à quoi vous pensez, il vaut mieux même ne pas penser du tout. Respirez profondément, calmement, et puis chassez vos pensées comme vous avez chassé vos « ouvriers ».

Les hommes sont tellement absorbés par leurs pensées mesquines qu'ils n'ont pas le temps de s'intéresser à la Grande Vie. Ils s'inquiètent de leur avancement, du coût de la vie, de ce que pense le voisin, de ce qu'ils verront à la télévision, et ils n'ont plus le temps de s'occuper des choses qui importent réellement. Tous ces petits soucis quotidiens sont triviaux. Dans cinquante, dans cent ans, qu'importera-t-il si tel magasin offre des soldes ou si la longueur des jupes va changer? Mais dans cinquante ans, votre évolution d'aujourd'hui prendra toute son importance car n'oubliez jamais que l'on n'emporte rien avec soi dans l'au-delà et qu'un « linceul n'a pas de poches », mais que tout être humain conserve dans la vie future ce qu'il aura gagné dans cette vie terrestre. C'est pour cela que nous sommes sur terre et si vous voulez emporter de précieuses connaissances avec vous après la mort terrestre vous devez vous y préparer dès aujourd'hui. Ce cours vous est donc indispensable, il peut influer sur tout votre avenir!

C'est la pensée — la raison — qui fait que l'homme stagne dans sa position inférieure. Les hommes parlent de leur raison, et disent qu'elle les distingue des animaux. C'est évident! Quelles autres créatures que l'homme songent à se lancer mutuellement des bombes atomiques? Quels animaux condamnent à mort leurs semblables ou les torturent? L'homme, en dépit de sa prétendue supériorité dont il aime à se vanter, est par bien des côtés plus bas que les plus vils animaux. C'est parce que l'homme s'attache à des valeurs fausses, parce qu'il ne désire que l'argent et les plaisirs matériels alors que ce qui importe le plus, ce sont les choses immatérielles que nous tentons de vous enseigner.

Pendant que vous vous détendez, ouvrez votre esprit, faites-en un récepteur. A force de vous exercer vos découvrirez que vous pouvez aisément chasser les pensées triviales qui vous encombrent et alors vous percevrez les réalités, vous percevrez les choses qui existent sur un niveau d'existence différent; mais elles sont si totalement étrangères à la vie terrestre qu'il n'existe aucun terme concret pour décrire ces abstractions. Il vous suffit de travailler, de vous entraîner, pour voir à votre tour les choses de l'avenir.

Certains grands hommes ont la faculté de s'endormir à volonté, quelques minutes seulement, et de se réveiller parfaitement reposés, le regard vif, brillant d'inspiration. Ce sont des hommes qui peuvent se débarrasser des pensées importunes et ouvrir leur esprit aux connaissances des Sphères. Vous y parviendrez aussi, avec de la pratique.

Nous déconseillons formellement à ceux qui désirent atteindre une évolution spirituelle de se plonger dans la vie mondaine dépourvue d'intérêt. Pour ceux qui s'efforcent de s'améliorer, rien n'est plus maléfique que les cocktails, les soirées dans les cabarets. L'alcool et le bruit sont néfastes, ils nuisent au jugement psychique, ils risquent même de vous faire tomber dans les couches basses de l'astral où l'on peut être tourmenté par les entités qui sont ravies de surprendre les humains au stade où ils ne peuvent même pas penser clairement. Cela les amuse énormément. Les soirées, les réceptions bourdonnantes des bavardages creux d'esprits vides qui cherchent à cacher qu'ils le sont, ne peuvent que répugner à celui qui tente de progresser. Vous ne pourrez évoluer qu'à la condition de vous détacher de ces êtres superficiels qui ne songent qu'au nombre de cocktails qu'ils vont boire ou qui préfèrent parler stupidement des ennuis des autres.

Nous croyons à la communion des âmes, nous croyons que deux personnes peuvent passer des heures ensemble sans proférer une parole physique, mais en communiquant télépathiquement. La pensée de l'un suscite une réponse muette de l'autre. Il est de fait que de vieux couples, mariés depuis longtemps, devinent bien souvent les pensées du conjoint. Ces vieux ménages, sincèrement amoureux, n'ont pas besoin de parler pour ne rien dire; ils savourent le silence tout en conversant au moyen de l'esprit. Ils ont appris trop tard les joies de la communication de l'âme, « trop tard » parce qu'ils sont déjà vieux, à la fin du voyage. Vous pouvez apprendre à participer à cette communion alors que vous êtes encore jeune.

Il est possible, pour un petit groupe, qui pense de façon constructive, d'altérer tout le cours des événements mondiaux. Malheureusement, il est bien difficile de réunir un petit groupe de personnes d'une telle abnégation qu'elles acceptent de chasser leurs pensées égoïstes pour ne penser qu'à faire le bien. Mais si vous et vos amis, vous vous réunissez et formez un cercle, chacun de vous bien à l'aise, détendu et confortable en vous faisant face, vous pourrez vous faire mutuellement le plus grand bien et améliorer le sort des autres.

Chaque personne doit avoir les pieds et les mains joints, sans toucher ses voisins. Rappelez-vous les juifs de jadis, les très anciens juifs; ils savaient que, en marchandant, ils devaient se tenir les pieds et les mains joints parce que, ainsi, les forces vitales du corps sont conservées. Aujourd'hui encore, un vieux juif qui marchande âprement fait la meilleure affaire s'il maintient cette position et que son adversaire ne l'adopte pas. Il ne se tient pas ainsi par servilité mais parce qu'il sait, peut-être instinctivement ou atavi-quement, comment conserver et utiliser ses forces corporelles. Une fois le marché conclu à son avan-tage, il peut écarter les mains, il n'a plus besoin de rassembler ses forces pour l'attaque, car il est vain-queur. Ayant atteint son but, il peut se détendre.

Si dans votre groupe, vous gardez chacun vos mains et vos pieds joints vous conserverez toute votre énergie corporelle. Cela équivaut un peu à un aimant auquel on place une « garde » entre les pôles afin d'empêcher que la force magnétique se dissipe, sans laquelle l'aimant ne serait qu'un morceau de fer. Votre groupe doit s'asseoir en cercle, et regarder le plancher au milieu de ce cercle, parce que, ainsi, la tête sera légèrement inclinée, ce qui est plus reposant. Ne parlez pas, surtout ne parlez pas! Vous avez décidé à l'avance du thème de vos pensées, ainsi toute parole serait superflue. Restez ainsi pendant quelques minutes. Petit à petit, chacun de vous sentira descendre sur lui une grande paix, vous aurez tous l'impression d'être inondés d'une lumière intérieure. Vous serez réellement baignés de lumière spirituelle et vous sentirez que vous êtes « Un avec l'univers ».

Les rites des offices religieux ont été conçus dans cette intention. N'oubliez pas que les anciens prêtres de toutes les Églises étaient d'excellents psychologues; ils savaient comment formuler les choses afin d'obtenir les résultats désirés. On ne peut évidemment faire garder le silence à une foule, aussi y a-t-il de la musique et des pensées dirigées sous forme de prières. Quand le prêtre se dresse devant les fidèles et prononce les mots rituels, tous les yeux, toutes les pensées sont tournés vers lui et elles sont toutes dirigées vers un certain propos. C'est une façon inférieure de réussir mais elle est nécessaire quand on s'adresse à des gens qui ne veulent pas consacrer le temps ni l'énergie nécessaires à leur évolution. Vous et vos amis obtiendrez de meilleurs résultats en vous réunissant en cercle, en silence.

Chacun de vous doit s'efforcer de se détendre, de penser à des choses pures ou au sujet prévu. Ne vous inquiétez pas de vos factures impayées, ne vous souciez pas de la mode d'hiver ou d'été mais pensez à élever vos vibrations afin de percevoir le bien, la grandeur qui vous attendent dans la vie à venir.

Nous parlons trop, nous laissons nos esprits ronronner comme des machines purement matérielles. Si nous nous détendons, si nous restons seuls et parlons moins quand nous sommes en compagnie, alors des pensées d'une pureté que nous ne pouvons même pas imaginer nous viendront pour élever nos âmes. Les solitaires ont des pensées beaucoup plus pures que les gens des villes. Les bergers, qui ne sont guère évolués mentalement, atteignent des degrés de pureté spirituelle que beaucoup de prêtres pourraient leur envier. C'est parce qu'ils vivent seuls, qu'ils ont le temps de méditer, et quand ils sont las de penser, leur esprit se vide et alors les grandes idées de l'au-delà peuvent les imprégner.

Pourquoi ne pas essayer, une demi-heure par jour? Entraînez-vous, videz votre esprit des pensées futiles. N'oubliez pas cette parole : « Sois silencieux et comprends que je suis Dieu », et en voici une autre : « Sois silencieux et calme et tu connaîtras ton Moi. » Entraînez-vous ainsi. Videz votre esprit, chassez les soucis et les doutes et vous constaterez que, au bout d'un mois, vous aurez plus d'assurance, vous serez plus paisible, en un mot vous serez transformé.

Nous ne pouvons terminer cette leçon sans parler encore des réceptions et des conversations futiles. On apprend aux jeunes filles du monde qu'elles doivent savoir « faire la conversation » si elles veulent devenir de bonnes maîtresses de maison. En somme, on estime qu'un invité ne doit pas rester un instant seul de crainte que ses propres pensées ne l'ennuient. Nous déclarons au contraire que, en donnant le silence, on accorde un des biens les plus précieux de la terre, car dans notre monde moderne le silence est de plus en plus rare. Il y a le grondement des voitures, des avions, des glapissements constants de la radio et de la télévision. Ce bruit risque de provoquer une nouvelle chute de l'Homme. Vous, en créant une oasis de paix et de silence, vous pouvez faire votre bonheur et celui de vos semblables.

Voulez-vous essayer, pour un jour, et voir si vous pouvez rester vraiment tranquille ? Ne parlez presque pas, ne dites que les mots indispensables, évitez tout ce qui est superflu ou superficiel, défendez-vous des potins et des bavardages sans intérêt. Si vous faites cela consciemment, délibérément, vous serez stupéfait, à la fin de la journée, de constater à quel point vous parlez pour ne rien dire.

Nous nous sommes longuement étendus sur le sujet du bruit et du bavardage et si vous pratiquez le silence vous verrez que là aussi, nous avons raison. Beaucoup d'ordres monastiques imposent le silence, bien des moines et des religieuses doivent garder le silence; les règles n'ont pas été imposées comme punition mais parce que ce n'est que dans le silence que l'on peut entendre les voix du Grand Au-delà.

TREIZIÈME LEÇON

Nous voulons tous que l'on nous donne, nous voulons tous être aidés. Personne ne peut nier d'avoir un jour prié pour être aidé! C'est une tendance humaine parfaitement naturelle que de désirer le secours d'une autre personne. Seul, l'homme ne se sent pas en sécurité et il a besoin de l'image de « Dieu le Père » ou de la « Mère » afin de se sentir protégé, d'avoir l'impression de faire partie d'une grande famille. Mais pour recevoir il faut savoir donner. On ne peut recevoir si l'on ne donne pas, car le don vous permet d'être réceptif pour ceux qui veulent vous donner ce que vous désirez.

Quand nous disons « donner » nous ne pensons pas nécessairement à l'argent, bien qu'il soit normal d'offrir de l'argent parce que c'est généralement ce que la plupart des gens désirent au-dessus de tout. De nos jours, l'argent représente la sécurité, l'apaisement de la peur de la famine, la libération des visites de l'huissier! L'argent peut être donné, et il doit être donné dans certains cas, mais « donner » signifie aussi le don de soi, rendre service aux autres. Nous pouvons, et nous devons donner de l'argent ou des vivres ou une consolation spirituelle à ceux qui en ont besoin. Encore une fois, si nous ne donnons pas, nous ne pouvons recevoir.

Dans le monde occidental, on se fait bien des idées fausses concernant les dons, les aumônes, la mendicité, la charité. Il semble que l'on s'imagine que ce soit une chose honteuse et dégradante que d'avoir à solliciter l'assistance des autres. Mais ce n'est pas vrai du tout. L'argent n'est qu'une commodité qui nous est prêtée pendant que nous sommes sur terre, grâce à laquelle nous pouvons acheter le bonheur et l'élévation de l'esprit à condition que nous nous en servions pour aider les autres et non pour l'entasser inutilement dans des coffres de banque.

Malheureusement, c'est un monde de commerce où la valeur d'un homme est mesurée par son compte en banque et par l'emploi qu'il fait de son argent. La femme et l'homme élégants qui donnent pour leur propre satisfaction — pour se faire valoir — ne sont ni spirituels ni généreux. Ils distribuent leur argent sans esprit de don, mais égoïstement, afin de pouvoir être fiers d'eux-mêmes. Pour montrer qu'ils sont riches. Mais hors de ce monde de valeurs erronées la richesse ne signifie rien car — nous ne nous lasserons jamais de le répéter afin que votre subconscient s'en imprègne — jamais aucun homme n'a pu emporter un centime, une épingle ou même une allumette brûlée au-delà de la Rivière de la Mort. Tout ce que nous pouvons emporter, c'est la somme de nos connaissances, notre expérience bonne ou mauvaise, généreuse ou avare, qui seront distillées afin que ne reste plus que l'essence de ces expériences. Et l'homme qui a vécu pour lui seul sur la terre sera dans l'au-delà un pauvre d'esprit, même s'il a été un milliardaire.

En Orient il est courant que la ménagère aille à sa

porte à la tombée du jour et y trouve un moine mendiant tendant humblement son écuelle. C'est une chose tellement normale que toutes les femmes, même les plus pauvres, ont toujours un morceau de pain ou un bol de soupe à donner au moine qui vit de leur générosité. C'est un honneur véritable pour la maison, qu'un moine vienne y chercher sa subsistance. Mais, contrairement à ce que croient les Occidentaux sceptiques, ce religieux n'est ni un parasite, ni un mendigot, ni un paresseux qui ne veut pas travailler. Pouvez-vous imaginer une de ces scènes ?

Supposons que nous contemplions du haut du ciel un pays d'Orient, tel que l'Inde où il est courant de donner aux moines, comme ce l'était en Chine et au Tibet avant que les communistes ne prennent le pouvoir. Voici donc un petit village de l'Inde. Le soir tombe, les ombres s'étendent sur le sol. Le ciel s'assombrit, prend des teintes violettes, les feuilles des banians bruissent doucement au vent nocturne qui descend des sommets de l'Himalaya.

Sur la route poussiéreuse, un moine en haillons avance lentement, portant sur lui tout ce qu'il possède au monde : sa robe, ses sandales et son chapelet. Sur son épaule est jetée la couverture qui lui sert de couche. Il a un long bâton dans la main droite, non pour se défendre contre les hommes ou les animaux mais pour écarter les broussailles et les épineux qui gênent sa marche; il s'en sert aussi pour mesurer la profondeur d'un cours d'eau avant de le franchir à pied.

Il s'approche d'une maison et, fouillant sous sa robe, il prend sa vieille écuelle de bois polie par l'usage et les ans. Comme il avance, la porte de la maison s'ouvre soudain et une femme apparaît sur le seuil, portant un plat bien garni. Elle baisse modestement les yeux et ne regarde pas le moine, car ce serait de l'impertinence et elle veut indiquer par son attitude respectueuse qu'elle est une personne de bon renom. Le moine lui tend son écuelle en la tenant à deux mains. En Orient, tout le monde tient un bol ou un plat à deux mains parce que ce serait irrespectueux de ne le tenir que d'une main; la nourriture est rare et mérite bien qu'on la respecte. Donc, le moine tend son écuelle et la femme la remplit généreusement; puis elle se détourne, aucune parole n'est échangée, ni le moindre regard. En nourrissant un moine, on paie en quelque sorte une dette, que tous les laïcs estiment avoir contractée envers les Saints Hommes.

La femme pense qu'elle et sa maison ont été honorées par la visite de ce moine, elle estime qu'on a rendu un tribut à sa cuisine, elle se demande si peut-être un autre moine n'aura pas eu quelques mots aimables pour ses plats et n'aura pas envoyé un de ses amis à sa porte. Dans les autres maisons, des femmes ont peut-être observé la scène avec envie, en regrettant de ne pas avoir été choisies par le Saint Homme.

Nous aussi, nous devons donner, afin de recevoir. Jadis, une loi divine exigeait que tout homme donnât le dixième de ses biens. Cette dîme devint une partie intégrante de la vie. En Angleterre, par exemple, les églises avaient le droit de prélever le dixième de ce qu'une personne possédait. Cet argent était consacré à l'entretien de la chapelle et aux pauvres.

Aujourd'hui, tout a changé. Plus personne ne paie de dîme et personne n'en vit, ce qui est dommage. Il est essentiel, si l'on veut progresser spirituellement, de donner sa dîme pour le bien des autres, car faire le bien des autres c'est faire notre bien. En un mot, nous ne pouvons progresser que si nous aidons notre prochain.

Les lois occultes s'appliquent tout autant aux non-spirirituels qu'aux spirituels. Peu importe qu'une personne étudie et lise beaucoup de livres sur la spiritualité, elle ne sera pas spirituelle pour autant. Ce qu'elle lit peut simplement passer sous ses yeux et disparaître sans avoir un seul instant imprégné les cellules de la mémoire dans son cerveau, mais pourtant cette personne se considérera comme « une grande âme » et s'imaginera sincèrement qu'elle progresse. A vrai dire, elle est en général égoïste et n'aide personne, bien que, en aidant son prochain, elle s'aiderait grandement elle-même. Nous répétons donc que c'est en donnant que l'on peut recevoir et qui aide son prochain s'aide soi-même.

Il est parfaitement inutile de prier que ceci ou cela vous soit donné si vous ne montrez pas d'abord que vous en êtes digne, en donnant à ceux qui sont dans le besoin. Donnez, donnez toujours, habituez-vous à donner, cherchez ce que vous pouvez donner, et ce n'est parfois qu'un mot de consolation ou un sourire, décidez de ce que vous pouvez donner et, après avoir réfléchi, mettez cela en pratique pendant trois mois. Vous découvrirez au bout de ces trois mois que vous vous êtes singulièrement enrichi, spirituellement ou pécuniairement, ou même les deux à la fois!

Étudiez cette leçon, étudiez-la encore et n'oubliez pas qu'il faut « donner afin de recevoir ».

QUATORZIÈME LEÇON

Depuis des temps immémoriaux, les hommes entreposent leurs « chers trésors » au grenier, des « trésors » qui sont des souvenirs. Parfois ils resteront à demi oubliés dans le grenier jusqu'à ce que, cherchant tout autre chose, vous gravissiez ce vieil escalier branlant et fouilliez dans la pénombre, la poussière et les toiles d'araignées.

Voici le vieux mannequin de couturière qui rappelle douloureusement le passage des ans et la minceur de la jeunesse lointaine. Voilà un coffret plein de vieilles lettres, nouées d'une faveur rose ou bleue. En regardant autour de soi, on découvre mille trésors qui réveillent des souvenirs heureux ou malheureux.

Vous arrive-t-il de monter à votre grenier? Il mérite une visite de temps en temps, car on y trouve bien des choses utiles, qui raniment des souvenirs, qui viennent s'ajouter à la somme de nos connaissances. Les problèmes que nous avons dû affronter autrefois ont été balayés aisément grâce à un savoir tout neuf, à des leçons apprises au cours des années.

Mais dans cette leçon nous n'allons pas vous demander de visiter *votre* grenier; nous allons vous emmener avec nous, par ce vieil escalier de bois branlant avec sa rampe usée qui a toujours l'air de vouloir s'écrouler mais qui tient bon. Vous allez venir dans notre grenier car vous y trouverez cette leçon et la suivante. Nous avons entreposé là des bribes d'information qui n'ont peut-être pas leur place dans telle ou telle leçon mais qui sont infiniment précieuses. Alors pensez à notre grenier, lisez ce qui suit et voyez si cela s'applique à votre cas, si ceci apaisera des doutes, si cela chassera de petites incertitudes qui vous assaillent depuis longtemps.

Nous avons longuement fouillé, en préparant cette leçon, nous avons fouiné dans tous les coins, renversant quelques théories et soulevant bien de la poussière! Nous avons concentré notre esprit sur les personnes qui se concentrent trop. On peut *trop* travailler, vous savez. Nous n'oublions pas le vieil adage « le travail c'est la santé », mais nous affirmons que, si l'on fait trop d'efforts pour se concentrer, on ne progresse pas, mais on recule, au contraire. Il nous arrive souvent de recevoir des lettres dans lesquelles les élèves se plaignent : « Je fais tant d'efforts! Je me concentre, je me concentre autant que je le peux et, au lieu de voir ce que vous nous promettez, je n'ai que la migraine! » Voilà donc un petit « trésor » de notre grenier, que nous allons examiner un moment. En effet, il arrive que l'on travaille trop. C'est un phénomène humain ou plutôt une anomalie du cerveau qui veut que, lorsqu'on se donne trop de mal, on n'arrive à rien et que ces efforts prolongés aboutissent à un résultat négatif. Nous avons tous connu de ces bûcheurs qui travaillent plus que n'importe qui mais n'arrivent à rien parce que leurs idées sombrent dans la confusion et dans l'incertitude. Lorsque nous exigeons trop d'efforts de notre cerveau, nous provoquons une charge électrique trop grande qui, en réalité, annihile le processus de la pensée! Par conséquent, nous devons nous concentrer de telle manière que notre cerveau ne se fatiguera pas. Ne faites que ce que vous pouvez vous permettre, ne surestimez pas vos capacités et suivez la « voie médiane ».

Cette voie médiane est un mode de vie de l'Orient. Cela signifie que vous ne devez pas être trop mauvais, ni trop bon non plus. Vous devez garder un juste milieu. Si vous êtes trop mauvais, la police vous arrêtera, si vous êtes trop bon, alors vous deviendrez pédant ou bien vous ne pourrez plus demeurer sur cette terre parce qu'il est avéré que les plus grandes entités qui descendent dans notre vallée de larmes doivent se plier à certaines règles, adopter des défauts afin de ne pas être parfaits sur la terre, car rien ne peut être parfait dans notre monde imparfait.

Une fois encore, nous vous répétons de ne pas exagérer, de ne pas faire trop d'efforts; restez naturel, raisonnable, n'excédez pas vos capacités. Vous ne devez pas vous incliner servilement devant les opinions des autres. Usez de bon sens, adaptez une règle ou une instruction à vos propres facultés. Il se peut que nous disions «voici une étoffe rouge», mais vous la verrez peut-être différemment ; pour vous, elle peut être orangée ou violacée, tout dépend des conditions dans lesquelles vous voyez cette étoffe; votre éclairage peut être différent du nôtre, votre vue tout autre. Alors ne faites pas trop d'efforts, ne vous soumettez pas trop docilement à ce que l'on vous enseigne. Faites appel à votre bon sens, suivez la voie médiane, le juste milieu est extrêmement utile!

Essayez de suivre cette voie, c'est celle de la tolérance, le chemin du respect des droits des autres, le meilleur moyen de faire respecter vos propres droits. En Orient, les prêtres et leurs clercs étudient le judo et d'autres formes de lutte, non pas parce que ces prêtres sont belliqueux mais parce que, en apprenant le judo et les autres formes de lutte similaires, on apprend à se maîtriser, à se contrôler et, par-dessus tout, on apprend à céder afin que le meilleur gagne. Prenons le judo; dans cette discipline, on ne se sert pas de sa propre force pour remporter la victoire mais de celle de l'adversaire, afin de le vaincre. Une faible femme connaissant bien le judo peut facilement jeter à terre une grande brute musclée qui ignore cette forme de lutte. Plus l'homme est fort et plus il attaque farouchement, plus il est facile de l'abattre parce que sa propre force le fait tomber plus lourdement.

Employons donc les principes du judo, la force de l'opposition, afin de surmonter nos problèmes. Ne vous fatiguez pas, ne vous épuisez pas, pensez à votre problème, en essayant de le résoudre, et ne cherchez pas à éluder la question comme le font tant de gens. En général, on a peur d'affronter un problème grave, on en fait le tour, vaguement, sans trouver la solution, la clef. Quel que soit le désagrément que vous cause le sujet, quelle que soit la culpabilité que vous éprouvez, n'hésitez pas et allez directement à la racine du mal, découvrez ce qui vous trouble ou vous effraie. Et puis, lorsque vous aurez discuté avec vous-même de tous les aspects du problème, DORMEZ DESSUS! Le vieil adage est bien vrai, qui dit que « la nuit porte conseil ». Si vous dormez sur un problème, il sera repassé à votre sur-moi qui est beaucoup plus compréhensif que vous, car le sur-moi est une immense entité, à côté du corps humain. Si votre sur-moi, ou même simplement votre subconscient, a la possibilité d'étudier le problème et trouve une solution, elle sera transmise à votre conscient, enregistrée par votre mémoire, si bien que, à votre réveil, vous serez stupéfait et ravi de tenir la clef du problème, la solution à ce qui vous troublait.

Aimez-vous notre grenier? Alors allons examiner un autre petit « trésor » recouvert de poussière. Il est temps de l'étudier, de le tirer de son coin obscur pour le contempler à la lumière du jour. Qu'y a-t-il dans ce coffret? Ouvrons-le vite!

Trop de gens, de nos jours, s'imaginent que, pour être vraiment pur, il faut être réellement pauvre et malheureux. Ils croient, bien à tort, que l'on doit avoir la mine sombre et sévère si l'on est « religieux ». Ceux-là ont peur de sourire, non pas tant parce que cela risque d'altérer leurs traits, mais parce que cette manifestation de gaieté pourrait bien, ce qui est pire, faire craquer le mince vernis de leur dévotion apparente! Nous avons tous connu de ces sombres vieillards qui ont peur de profiter du moindre plaisir qu'offre la vie, de crainte de passer le restant de l'éternité en enfer pour cet instant d'abandon.

La religion, la vraie religion, est joyeuse. N'oublions pas que la joie est vertu cardinale. Elle nous promet la vie éternelle, elle nous promet la récompense de tous nos efforts, elle nous affirme que la mort n'existe pas, que nous n'avons pas à nous inquiéter et que nous ne devons pas avoir peur. Tous les hommes ont une peur innée de la mort. Il le faut car si l'on songeait aux joies de l'au-delà on serait bien tenté de mettre fin à ses jours pour les connaître plus vite. On serait alors semblable à l'enfant qui « sèche » ses cours et fait l'école buissonnière, ce qui ne peut le faire progresser!

La religion, si l'on y croit vraiment, nous promet

que, lorsque nous aurons quitté cette terre, nous ne verrons plus nos ennemis, nous ne rencontrerons plus ceux qui nous portent sur les nerfs et qui aigrissent notre âme. Réjouissez-vous, vous qui croyez, car la religion est une joie, une occasion de se réjouir.

Hélas, nous devons reconnaître, bien tristement, que de nombreuses personnes qui étudient l'occultisme ou la métaphysique sont parmi les plus affreux des pécheurs. Il existe une secte — nous ne donnerons pas de noms — dont les membres sont intimement persuadés qu'ils sont les seuls élus. Eux seuls seront sauvés pour peupler leur petit paradis. Tous les autres hommes — malheureux pécheurs sans doute — seront détruits et anéantis de façons diverses, toutes fort désagréables. Nous réprouvons cette théorie, nous sommes intimement persuadés, nous, que l'essentiel est de CROIRE. Peu importe que l'on croie à la religion ou à l'occultisme, encore une fois, l'essentiel est d'avoir la foi.

L'occultisme n'est ni plus ni moins compliqué ou mystérieux que la table de multiplication ou un cours d'histoire. C'est simplement l'étude de choses différentes, l'étude de ce qui n'est pas physique. Nous ne sommes pas éperdus d'admiration quand nous apprenons comment fonctionne un muscle ou comment nous pouvons remuer nos orteils, alors pourquoi s'émerveiller et croire aux esprits si nous savons que nous pouvons aisément transmettre l'énergie éthérique d'une personne à une autre ?

Réjouissez-vous ! Plus vous en saurez sur l'occultisme et la religion, plus vous serez imprégnés de la vérité de la plus grande vie qui nous attend au-delà de la tombe. Nous quittons alors notre corps physique tout comme on jette un vieux costume qui sera ramassé par le chiffonnier dans la poubelle. La science métaphysique n'a rien de terrifiant, pas plus que la religion ne doit susciter la crainte, car si vous observez la bonne religion, plus vous l'étudierez plus vous serez convaincu que c'est LA religion. Celles qui promettent la damnation éternelle et les flammes de l'enfer à ceux qui errent hors de la voie étroite ne rendent aucun service à leurs adhérents. Jadis, alors que les peuples étaient plus ou moins sauvages, il était sans doute nécessaire de leur faire peur afin qu'ils renonçassent à des pratiques répréhensibles, mais les temps ont changé.

Tous les parents reconnaîtront qu'il est beaucoup plus facile de maîtriser les enfants avec de la bonté plutôt qu'avec des menaces constantes. Ceux qui crient sans cesse qu'ils vont appeler le croque-mitaine ou la police, ou vendre l'enfant à des bohémiens, ne devront pas s'étonner si cet enfant souffre de névroses et si toute sa descendance en est affectée. Mais ceux qui savent contrôler leur rejeton avec bonté et fermeté le font vivre dans la joie et non dans la peur et ils peuvent être sûrs d'engendrer de bons citoyens. Nous sommes pour la bonté accompagnée de discipline, mais la discipline doit être toujours souple, jamais dure ni sadique. Encore une fois réjouissons-nous dans la religion, soyons les enfants des « parents » qui nous enseignent l'amour, la compassion, et qui nous comprennent. Faisons table rase de tous les faux-semblants, de la terreur, du châtiment et de la damnation éternelle. Cette damnation n'existe pas, nul n'est jamais repoussé, personne n'a été banni à jamais du monde de l'Esprit! Chacun peut être sauvé, quels qu'aient été ses péchés; personne ne sera repoussé. Le Document Akashique, que nous étudierons plus loin, nous enseigne que, si une personne a été vraiment si mauvaise que l'on ne peut rien faire pour elle, son évolution est simplement retardée et elle se verra accorder une nouvelle chance, une « nouvelle vie », comme un enfant qui n'a pas réussi à un examen redouble sa classe.

Il ne viendra à l'idée de personne de déclarer qu'un enfant sera rôti à petit feu et jeté à des démons qui le mangeront parce qu'il a échoué à un examen ou fait quelquefois l'école buissonnière. Ses maîtres le grondent peut-être mais, à part ces sermons, il ne lui arrive aucun mal, et si jamais il est renvoyé d'une école, on l'acceptera dans une autre. Il en est ainsi des humains sur la terre. Si vous échouez la première fois, ne vous affolez pas, vous aurez une autre chance. N'abandonnons pas ce sujet mais ouvrons un autre coffret, tellement couvert de poussière parce que, dans le passé, personne n'a voulu s'y intéresser. Voyons ce qu'il va nous apprendre.

Selon le Document Akashique, le peuple juif est une race qui, dans une autre existence, a été incapable de progresser. Elle faisait tout ce qui était interdit et oubliait ce qu'elle aurait dû faire. Elle s'adonnait aux plaisirs de la chair, aux délices de la table, préférant les nourritures grasses au point que les corps s'alourdirent et les esprits devinrent incapables de planer dans l'astral, restant prisonniers des enveloppes charnelles grossières. Ces gens, que nous appelons aujourd'hui « juifs », ne furent ni détruits ni condamnés à la damnation éternelle. Ils bénéficièrent d'une seconde chance. Dans le cycle d'existence actuel, il y a des individus qui en sont à leur première vie et, lorsqu'ils ont affaire à des juifs, ils sont déroutés et souvent craintifs. Ils ne comprennent pas ce qu'il y a de différent chez les juifs mais ils sentent cette différence, ils sentent qu'un juif possède des connaissances qui ne semblent pas être de la Terre, cela leur fait peur et, quand une personne a peur, elle persécute. C'est pourquoi les juifs, appartenant à une très ancienne race, sont persécutés parce qu'ils doivent recommencer leur vie. Certains leur envient leur savoir, leur endurance et, encore une fois, on a tendance à détruire ce que l'on jalouse.

Mais nous digressons; nous ne traitons pas des juifs et des gentils, mais de la joie dans la religion; on apprend dans la joie ce que l'on ne peut apprendre dans la terreur. Nous répétons donc que les tourments de l'éternité n'existent pas, pas plus que les feux de l'enfer. Réfléchissez, réfléchissez à ce que l'on vous a enseigné, vous comprendrez aisément qu'il est bien plus raisonnable de trouver de la joie et de l'amour dans vos croyances religieuses. Vous n'avez pas affaire à un père sadique qui va vous flageller et vous condamner aux ténèbres mais à de Grands Esprits qui ont connu tout cela, qui l'ont vécu bien avant que l'homme existe ; ils ont tout connu, ils connaissent toutes les questions et leurs réponses, ils n'ignorent pas nos soucis et ils sont compatissants. Ainsi, après avoir examiné les trésors de notre grenier, nous pouvons vous dire « réjouissez-vous dans la religion », souriez, aimez chaleureusement votre Dieu, quel que soit le nom que vous lui donnez, car il est là pour vous aider et pour vous guérir, à condition que vous vous débarrassiez une fois pour toutes de votre peur.

QUINZIÈME LEÇON

Nous revoici dans notre grenier! Nous avons mis un peu d'ordre, nous avons balayé, épousseté, et nous avons fait de nouvelles découvertes. Certaines d'entre elles jetteront peut-être un petit rayon de lumière sur un doute qui vous tourmente depuis longtemps.

Pour commencer, voici une lettre que nous avons reçue il y a bien longtemps. Voici ce qu'elle dit :

« Vous parlez beaucoup de la peur, vous dites qu'il n'y a rien d'autre à craindre que la peur. Dans votre réponse à ma question vous me dites que c'est la peur qui me retient, qui m'empêche de progresser. Je n'ai conscience d'aucune peur, d'aucune crainte, alors que se passe-t-il ? »

Voilà un problème intéressant! La peur est l'unique obstacle. Examinons-la, voulez-vous ? Asseyez-vous un moment, nous allons tenter de résoudre ce problème de la peur.

Nous avons chacun nos terreurs. Certaines personnes ont peur du noir, d'autres des araignées ou des serpents. Ainsi parfois nous connaissons nos craintes, c'est-à-dire que nous en avons conscience. Mais — attention! — notre conscient n'est qu'un dixième de notre être et les neuf dixièmes sont formés de notre subconscient, alors que se passe-t-il si notre peur réside dans notre subconscient ?

Nous pouvons être poussés à faire certaines choses par une espèce de compulsion mystérieuse et, de même, en être empêchés. Nous ne savons pas toujours pourquoi nous faisons ceci ou cela, et nous ignorons pourquoi nous sommes incapables de faire cela ou ceci. Il n'y a rien à la surface de notre conscient, rien que nous puissions discerner. Nous agissons sans raison et, si nous consultons un psychologue ou un psychanalyste, nous passons des heures sur son divan, jusqu'à ce que l'homme de l'art parvienne à extirper de notre subconscient la raison de notre comportement, une peur dont nous avons souffert alors que nous étions bébé. Cette peur reste cachée mais nous tourmente à partir de notre subconscient, comme des termites rongent un bâtiment de bois. Apparemment, la maison est en bon état, ses murs tiennent bon, et puis, tout à coup, elle s'effondre sous l'influence de ces termites. Il en est de même pour la peur. Elle n'a pas besoin d'être consciente pour être active ; elle l'est d'autant plus qu'elle demeure dissimulée dans notre subconscient et, comme nous ignorons son existence, nous ne pouvons nous en défendre ni la combattre.

Tout au long de notre vie, nous sommes soumis à certaines influences qui nous conditionnent. Une personne élevée, par exemple, dans la religion chrétienne, aura appris que certaines choses « ne se font pas », que d'autres sont strictement interdites. Cependant, d'autres personnes, élevées différemment dans une autre religion, auront le droit de faire ces mêmes choses. Donc, avant d'examiner la question de la peur, nous devons d'abord étudier notre éducation raciale et familiale.

Avez-vous peur des fantômes ? Pourquoi ? Si la

tante Mathilde était durant sa vie bonne et généreuse, si elle vous aimait tendrement, il n'y a pas la moindre raison de supposer qu'elle vous aimera moins après sa mort, quand elle aura été élevée à un meilleur stade de l'existence. Alors pourquoi avoir peur du fantôme de la tante Mathilde? Nous craignons les fantômes parce qu'ils nous sont étrangers, parce que notre religion nous a appris que cela n'existe pas, ou que seuls les saints peuvent voir les esprits, etc. Nous avons peur de ce qui échappe à notre entendement, et il serait bon de réfléchir un instant pour se dire que s'il n'y avait pas de passeports, pas de barrière du langage, il y aurait peut-être moins de guerres. Nous avons peur des Russes, des Chinois ou des Papous parce que nous ne les comprenons pas, nous ne savons rien d'eux, ni de ce qu'ils peuvent faire contre nous.

La peur est une chose horrible, c'est une maladie, une peste, un fléau, c'est une souillure qui corrompt notre intellect. Si nous faisons quelques réserves sur un sujet, alors nous devons chercher pourquoi. Par exemple, pourquoi certaines religions enseignent-elles que la réincarnation n'existe pas? La raison en est simple; jadis, il y a bien longtemps, les prêtres possédaient un pouvoir absolu et régnaient sur le peuple par la terreur, en enseignant la damnation éternelle. Chacun devait faire le bien parce qu'on ne lui en donnerait pas d'autre opportunité. Ces prêtres pensaient que, si les gens croyaient à la réincarnation, ils auraient tendance à se laisser aller dans cette vie en remettant le paiement à la suivante. Par exemple il était tout naturel dans la Chine d'autrefois de contracter une dette dans cette vie pour la rembourser dans une autre! Cela aboutit naturellement à des abus et la Chine est devenue décadente parce que le peuple croyait tellement à la réincarnation qu'il ne cherchait guère à s'améliorer, la vie présente n'étant en somme que des vacances! On verrait plus tard, on améliorerait sa condition dans une autre vie. Cela ne pouvait réussir, bien entendu, aussi toute la culture chinoise est-elle tombée dans la décadence.

Examinez-vous, étudiez votre intellect, votre imagination. Analysez-vous en profondeur et cherchez ce que vous cache votre subconscient, ce qui vous fait peur, ce qui vous énerve tant, ce qui vous inquiète sans que vous sachiez pourquoi. Lorsque vous aurez creusé et extirpé cela, vous vous apercevrez que vous n'avez plus de craintes. C'est la peur qui empêche de voyager dans l'astral. Or, les voyages astraux, nous le savons pertinemment, sont remarquablement simples, n'exigent aucun effort; c'est aussi simple que de respirer et pourtant, la plupart des gens en ont peur.

Le sommeil est presque une mort, le sommeil rappelle la mort et nous nous demandons ce qui nous arrivera quand la mort, et non le sommeil, s'emparera de nous. Nous craignons que, pendant notre sommeil, quelqu'un vienne trancher notre corde d'argent et que nous nous égarions. Cela ne peut absolument pas arriver, le voyage astral ne présente pas le moindre danger, le seul danger c'est la peur, la peur que vous connaissez et plus encore celle que vous ignorez. Nous vous conseillons, une fois encore, de résoudre ce problème de la peur, de l'analyser à fond. Ce que vous connaissez et comprenez ne peut effrayer, alors efforcez-vous de connaître et de comprendre ce qui vous fait peur aujourd'hui.

Cela fait, il vous faudra méditer. Ne pouvez-vous vous arranger pour consacrer ne fût-ce qu'une demi-heure par jour à la méditation, dans le silence? Par la méditation, nous pouvons quitter ce monde. Nous pouvons, avec un peu d'entraînement, monter dans l'astral, dans un autre monde. C'est une aventure merveilleuse, exaltante. Quand nous élevons notre pensée spirituelle, nous accroissons notre cadence de vibrations et plus nous percevrons les notes élevées — rappelez-vous notre « clavier »! — plus nous connaîtrons la joie et la beauté.

Ces joies nous permettront d'attendre sans crainte notre départ définitif pour un univers plus glorieux, à condition de tendre à la perfection spirituelle. Nous ne devons jamais oublier que nous sommes sur terre comme un prisonnier dans sa cellule. Pendant notre séjour, nous ne pouvons voir combien la Terre est affreuse, et si vous vous éleviez pour la contempler avec du recul, vous auriez un choc et ne voudriez peut-être pas y redescendre. C'est pourquoi beaucoup d'hommes ne peuvent voyager dans l'astral parce que, à moins d'être préparé, le retour est vraiment désagréable et l'on répugne à abandonner toutes ces joies qui sont de l'autre côté. Ceux d'entre nous qui voyagent dans l'astral attendent avec impatience l'heure de leur libération, mais veillent à se bien conduire dans leur « prison », car sinon, ils perdront leur temps de rémission.

Donc, conduisons-nous de notre mieux sur la terre afin que, lorsque nous quitterons cette vie, nous soyons prêts pour les grandes choses que nous réserve l'au-delà. Cela vaut bien de faire quelques efforts!

Fouillons encore dans notre grenier poussiéreux, allons voir dans cet autre coin, examinons encore un petit souvenir...

Beaucoup de gens s'imaginent que les « voyants » contemplent continuellement l'aura des autres, et lisent constamment leurs pensées. Comme ils se trompent ! Une personne douée de télépathie ou de clairvoyance ne passe pas son temps à regarder l'aura de ses amis et de ses ennemis, ni à lire leurs pensées ! Alors ne craignez pas les voyants, les occultistes, les métaphysiciens, car s'ils sont d'une bonne moralité, ils se défendront de surprendre vos pensées intimes sans votre permission. Et s'ils ont une mauvaise moralité, ils ne peuvent rien voir.

Vous devez vous persuader que la « voyante » qui vous prédit l'avenir contre de l'argent n'a pas de pouvoir réel. C'est généralement une pauvre femme qui ne peut gagner sa vie autrement. Sans doute, à un certain moment, elle a été clairvoyante, mais on ne peut « voir » si l'on en fait un commerce, on ne peut prédire l'avenir à une personne contre de l'argent parce que le seul fait de cette transaction brouille les facultés télépathiques. La « voyante », donc, ne voit rien si elle accepte de l'argent, mais elle doit bien vous dire quelque chose. Comme elle est en général bonne psychologue, elle vous laissera parler, et puis elle vous répétera ce que vous lui avez dit, ce qui vous émerveillera car vous ne comprendrez pas comment elle a pu « lire » aussi exactement le fond de votre pensée et deviner ce que vous vouliez savoir !

Ne craignez pas que les voyants se mêlent de vos affaires. Vous plairait-il, lorsque vous écrivez une lettre ou que vous faites vos comptes, qu'une personne vienne regarder par-dessus votre épaule ? Aimeriez-vous que cette personne fouille dans vos tiroirs, lise ceci ou cela, sache tout de vous, de vos biens et de vos pensées ? Seriez-vous ravi d'être branché sur une table d'écoute, et que l'on entende toutes vos conversations téléphoniques ? Non, naturellement ! Alors répétons encore une fois qu'une personne de bonne moralité ne se permettra jamais de lire vos pensées à tout moment et que celle qui est capable de cette indiscrétion n'est pas capable de les lire. Absolument pas! C'est une loi de l'occulte : la personne de mauvaise moralité n'est pas clairvoyante. Vous entendrez souvent raconter des histoires d'une personne qui voit ceci et cela et encore autre chose. N'en croyez rien!

Un clairvoyant attendra toujours que vous lui disiez de quoi vous voulez qu'il parle. Il ne s'introduira pas par effraction dans l'intimité de votre pensée ou de votre aura, pas même si vous l'en priez. Il y a certaines lois de l'occultisme auxquelles on doit obéir très strictement, car, si on les transgresse, on risque d'être puni comme on est châtié lorsqu'on viole les lois terrestres. Dites au clairvoyant ce que vous voulez lui dire, et il saura si vous lui dites la vérité. Cela, nous voulons bien l'admettre. Dites-lui ce que vous voulez, mais assurez-vous que c'est bien la vérité, autrement vous ne tromperez que vous, jamais le clairvoyant.

Une dernière fois, nous répétons : un bon « voyant » ne voudra pas lire vos pensées, et un mauvais NE LE PEUT PAS.

Voici encore un petit objet qui mérite d'être examiné. Celui-ci : vous ne vous entendez pas avec votre conjoint? Eh bien, c'est peut-être l'obstacle que vous êtes destiné à surmonter sur cette terre. Par exemple, un cheval est engagé dans une course, et il gagne; mais s'il gagne constamment, il est handicapé. Considérez-vous comme un cheval de course. Vous avez peut-être appris trop vite vos leçons, passé trop vite et trop facilement vos examens, surmonté trop aisément vos « obstacles », alors vous êtes handicapé par un conjoint qui ne vous convient pas. Faites contre mauvaise fortune bon cœur, de votre mieux, répétez-vous que, si votre conjoint et vous êtes vraiment incompatibles, vous ne le retrouverez jamais, jamais dans l'au-delà. Quand un homme prend un marteau ou un tournevis, c'est pour exécuter un travail, et l'objet n'est qu'un outil qui lui permet cette exécution. Le conjoint est de même un outil qui vous permet d'exécuter un certain ouvrage, d'apprendre une certaine leçon. On peut s'attacher à son marteau ou à son tournevis, parce qu'il permet d'exécuter tel travail aussi bien que possible. Mais vous pouvez être certain qu'un homme n'aimera jamais son outil au point de désirer l'emporter avec lui dans l'autre monde!

On a dit et écrit beaucoup de choses sur la « gloire de l'humanité », mais nous disons, nous, que les humains ne représentent pas la plus grande forme de vie. Les humains de la terre, par exemple, sont assez sordides, sadiques, égoïstes, cupides. S'ils ne l'étaient pas, ils ne seraient pas sur cette terre, parce que l'on y vient uniquement pour s'améliorer, pour apprendre à surmonter ses défauts, justement. Les humains sont bien plus grands lorsqu'ils arrivent dans l'au-delà. Alors comprenons bien que si nous avons ici-bas un conjoint qui ne nous convient pas, ou même des parents incompatibles, c'est peut-être parce que *nous* l'avons voulu afin d'avoir un obstacle à surmonter. Une personne se fait vacciner et on lui inocule délibérément la variole ou la fièvre jaune, par exemple, afin qu'elle soit immunisée contre cette maladie qui, autrement, risquerait d'être fatale. Ainsi, nos parents, ou notre conjoint, ont peut-être été choisis afin que nous apprenions, par notre association avec eux, certaines leçons. Mais nous ne serons pas obligés de les retrouver quand nous quitterons cette vie, nous ne pourrons absolument pas les rencontrer à nouveau si nous sommes incompatibles car, nous le répétons, lorsque nous serons dans l'au-delà, nous vivrons en pleine harmonie et si les gens ne sont pas en harmonie avec nous ils ne peuvent plus nous retrouver. Nombreux sont ceux que cela va réconforter, nous en sommes sûrs!

SEIZIÈME LEÇON

Nous allons consacrer cette leçon aux rêves, parce que tout le monde rêve, absolument tout le monde, même les gens qui prétendent ne jamais rêver. Depuis les temps immémoriaux, les rêves ont été considérés comme des présages, comme des signes; depuis des millénaires on a tenté d'interpréter les rêves et certains aujourd'hui encore tentent d'y lire l'avenir, immédiat ou non. D'autres, cependant, estiment que les rêves ne sont que des chimères, des fantaisies de l'imagination qui se donne libre cours lorsque l'esprit est provisoirement séparé du corps, pendant le sommeil. C'est faux, naturellement, mais venons-en à notre propos.

Comme nous l'avons étudié au cours des leçons précédentes, l'homme possède deux corps. Au moins! Nous allons nous intéresser uniquement au corps physique et au corps astral, mais il en existe d'autres, bien sûr.

Lorsque nous dormons, notre corps astral se sépare de notre corps physique et s'élève lentement au-dessus de lui. Et l'esprit se détache aussi. Dans le corps physique, demeure tout le mécanisme et il se produit alors la même chose que dans une station de radio quand le meneur de jeu ou le commentateur s'en va et qu'il ne reste personne pour diffuser les messages. Le corps astral, flottant à présent au-dessus du corps physique endormi, hésite un moment, et se demande ce qu'il va faire. Dès que la décision sera prise, le corps astral basculera et ses pieds toucheront terre, au pied du lit. Puis, comme un oiseau quittant sa branche, il s'envolera brusquement, au bout de sa corde d'argent.

La plupart des gens, particulièrement en Occident, n'ont pas conscience des événements qui surviennent au cours de leur voyage astral, mais, à leur retour, ils peuvent éprouver un singulier bien-être, ou bien dire : « J'ai rêvé de Un tel cette nuit, il paraissait très heureux. » Selon toutes probabilités, la personne a réellement rendu visite à « Un tel », parce que ce mode de voyage est le plus simple et le plus fréquent; pour une raison mystérieuse, nous semblons graviter toujours autour des lieux connus ou aimés, nous aimons retrouver ceux que nous avons déjà visités, de même que, selon la police, le criminel retourne toujours sur le lieu de son crime!

Cela n'a rien d'extraordinaire, que nous allions voir des amis parce que, quand nous quittons notre corps physique pour voyager dans l'astral, il faut bien avoir un but de « promenade ». Tant que nous ne nous serons pas entraînés, nous ne nous hasarderons pas dans les lointaines régions astrales mais nous préférerons demeurer dans les lieux qui nous sont connus, sur la surface de la Terre. Les personnes qui ignorent tout du voyage astral peuvent aller rendre visite à des amis au-delà des mers, ou si elles ont un grand désir de voir un endroit particulier ou un magasin, elles iront les voir; seulement, à leur retour dans l'enveloppe charnelle, elles penseront — si elles sont capables de penser ! — qu'elles ont rêvé.

Savez-vous pourquoi vous rêvez ? Dans la vie réelle, nous avons tous plus ou moins voyagé, fait des excursions ici et là. Nos « rêves » sont aussi réels qu'un voyage par avion ou bateau d'Europe en Amérique, ou d'Aden à Acre par les mêmes moyens, mais nous nous entêtons à appeler cela un rêve. Avant d'aller plus avant, nous aimerions vous rappeler que, depuis le concile de Constantinople, en 381, quand les chefs de l'Église chrétienne décidèrent des dogmes de la chrétienté, la plupart des enseignements des Grands Maîtres ont été déformés ou supprimés. Nous pourrions ajouter quelques commentaires à tout cela grâce aux renseignements que nous avons pu découvrir dans le Document Akashique, mais notre propos, en préparant ce cours, est d'aider ceux qui se connaissent et non de piétiner les plates-bandes de qui que ce soit, quelque fallacieuses que soient ces « plates-bandes » de croyances ! Contentons-nous donc de déclarer que, depuis plusieurs siècles, les peuples d'Occident ignorent tout du voyage astral pour la simple raison que ce genre de déplacement ne figure dans aucun dogme religieux.

De même, les peuples occidentaux ne croient pas aux fées ni aux Esprits de la Nature, et les enfants qui voient les fées ou les esprits et qui, sans aucun doute, jouent avec ces entités, sont grondés par des adultes qui se moquent d'eux, bien à tort car l'enfant est très souvent plus intelligent et plus éveillé que l'adulte. La Bible ne dit-elle pas que « si l'on ne devient pas comme un petit enfant on ne peut pénétrer dans le royaume des cieux » ? Partant de ce principe nous préférons dire : « Si vous avez la foi d'un enfant qui n'a pas été contaminé par le scepticisme des adultes, vous pourrez aller n'importe où, n'importe quand. »

Les enfants dont on se moque apprennent vite à dissimuler ce qu'ils voient. Malheureusement, ils perdent rapidement la faculté de voir les autres entités à cause de ce besoin de cacher leurs possibilités réelles. Il en est de même dans le cas des rêves. Tout le monde vit des aventures pendant le sommeil du corps physique, car bien entendu le corps astral ne dort jamais et, quand il revient, il peut y avoir un conflit entre les corps astral et physique; l'astral connaît la vérité mais le physique est contaminé et son esprit obstrué par des idées préconçues qui lui ont été inculquées dès le berceau. Par la chute de ce conditionnement, les adultes refusent d'affronter la vérité, et c'est ainsi que naît le conflit; le corps astral a voyagé, a fait mille choses, a vu mille choses mais le corps physique refuse d'y croire parce que tout l'enseignement occidental le pousse à douter de tout ce qui ne peut être tenu entre les mains et mis en pièces pour voir comment ça marche. Les Occidentaux réclament des preuves, encore des preuves, tout en s'efforçant de prouver que la preuve est fausse! Nous avons donc ce conflit entre l'astral et le physique, et cela aboutit à un besoin de rationalisation. Dans ce cas les rêves, ou plutôt, ce qu'on appelle « rêve », sont rationalisés du mieux que l'on peut, souvent avec des résultats étranges!

Pendant notre voyage astral, il nous arrive mille aventures. Notre corps astral aimerait que nous puissions nous réveiller avec le souvenir très net de toutes ces expériences, mais, encore une fois, et tant pis si nous nous répétons, le corps physique ne peut le permettre, et le conflit naît entre les deux corps ce qui fait que des images horriblement déformées affleurent à notre mémoire, auxquelles nous ne pouvons croire parce que ces choses ne peuvent arriver. Chaque fois qu'il se produit dans l'astral une chose contraire aux lois physiques de la terre il y a conflit, et ainsi l'imagination se met de la partie et nous avons des cauchemars.

Dans l'astral, on peut s'élever, planer dans les cieux, et visiter n'importe quel pays du monde. Dans le physique, il est impossible de franchir les mers en un clin d'œil, ni même de s'élever au-dessus de sa maison. C'est ce conflit entre les corps physique et astral qui provoque les souvenirs atrocement déformés de nos aventures astrales, qui annule tout le bien que nous pourrions tirer de ces voyages. Ces prétendus rêves qui n'ont pas de sens pour nous, que nous estimons stupides parce que nous avons rêvé des choses invraisemblables, sont des réalités où les dites choses invraisemblables, se passant dans l'astral, sont tout à fait normales.

Une personne peut rêver qu'elle est atrocement gênée parce qu'elle se promène toute nue dans la rue. Cela a dû arriver à tout le monde. Mais il ne s'agit pas d'un rêve, naturellement! Car lorsqu'on s'envole dans l'astral, on n'éprouve pas le besoin de se vêtir, on oublie de porter des vêtements astraux! Si l'on n'« imagine » pas la nécesité de s'habiller, alors on voyage dans l'astral complètement nu. Souvent, une personne quittera son corps physique et s'élèvera précipitamment, dans la joie exaltante de s'être libérée de la chair trop matérielle. Sortir du corps était son seul but, et elle n'a pas le temps de penser à autre chose.

Le corps naturel, nous vous le rappelons, est un corps sans vêtements, car les vêtements ont été inventés par l'homme et ne doivent avoir d'autre nécessité que de nous protéger des intempéries. Le corps n'a pas été créé pour être caché.

Quand on voyage dans l'astral, on « imagine » généralement le genre de vêtements que l'on porterait normalement dans la journée. Si on oublie d'« imaginer », un clairvoyant recevant un visiteur astral peut le voir tout nu. Nous avons reçu nous-même des visiteurs astraux, et ils ne portaient rien, sinon peut-être une veste de pyjama, ou alors une tenue invraisemblable qui défie toute description et que l'on ne pourrait trouver dans aucune boutique de lingerie. Il arrive parfois que des personnes qui se soucient exagérément de leur élégance s'imaginent — se rêvent — vêtues d'une mode qu'elles n'auraient jamais l'idée d'arborer sur leur corps physique. Mais tout cela n'a pas d'importance car, encore une fois, les vêtements ne sont qu'une convention humaine et il est fort peu probable que, lorsque nous irons au ciel, nous portions costume et manteau.

Par conséquent, les rêves sont une rationalisation d'événements vécus dans le monde astral et, comme nous l'avons déjà fait observer, lorsque nous sommes dans l'astral, nous voyons une gamme de couleurs beaucoup plus étendue, avec une netteté inimaginable. Tout est plus vif, plus éclatant, tout est « plus grand que nature », on peut distinguer les moindres détails, les couleurs dépassent l'entendement. Nous allons vous donner un exemple.

Sous notre forme astrale, nous avons voyagé très, très loin, au-delà des mers, dans un pays inconnu. Le ciel était d'un bleu pur, au-dessous de nous les vagues étaient couronnées d'écume blanche. Nous avons atterri sur une plage de sable doré et nous nous sommes attardés, pour mieux l'examiner. Chaque grain de sable scintillait comme des pierres précieuses au soleil. Nous avons plané lentement au-dessus des algues mouvantes, émerveillés par la délicatesse des teintes brunes et vertes, et par les globules d'air qui paraissaient roses et dorés. A notre droite, il y avait un rocher verdâtre qui, par moments, ressemblait au jade le plus pur. Nous pouvons voir sous la surface les veines et les stries et aussi de minuscules fossiles prisonniers de la roche depuis des millions d'années. Tout en planant, nous regardions autour de nous avec des yeux neufs, des yeux qui n'avaient jamais vu aussi nettement. Nous distinguions dans l'atmosphère des espèces de globes transparents de toutes les couleurs, qui étaient en fait les forces vives de l'air. Les couleurs étaient fantastiques, intenses, variées, et notre acuité de vision était telle que nous pouvions voir la courbe de l'écorce terrestre sans qu'un seul détail soit oublié.

Sur notre malheureuse Terre, prisonniers de notre enveloppe charnelle, nous sommes relativement aveugles, notre gamme de couleurs est très limitée et nous distinguons mal les nuances. Nous souffrons de myopie, d'astygmatisme, d'autres affections qui nous empêchent de voir les choses telles qu'elles sont. Ici-bas, nous sommes pratiquement privés de sens et de perceptions, nous sommes de pauvres infirmes enfermés dans notre gangue d'argile, accablés de désirs et d'inimitiés, alourdis par une mauvaise nourriture; mais dès que nous surgissons dans le monde libre de l'astral nous pouvons voir avec la plus grande netteté des couleurs qui nous sont inconnues, que nous n'avons jamais vues sur la terre.

Si jamais vous faites un « rêve » dans lequel vous voyez avec une netteté stupéfiante une merveilleuse gamme de couleurs qui vous ravissent, alors vous saurez que vous n'avez pas simplement rêvé mais que vous rationalisez ce que vous avez réellement vu au cours d'un voyage dans l'astral.

Il y a encore autre chose, qui empêche beaucoup de personnes de se rappeler les joies qu'elles ont vécues dans l'astral. Lorsqu'on voyage dans l'astral, on vibre à une cadence incroyablement plus rapide que celle du corps. Cette différence de vibrations n'a aucune importance lorsqu'on « sort » et les obstacles surgissent quand on retourne dans son corps; si nous connaissons ces obstacles, nous pouvons consciemment les surmonter avant le départ pour aider les corps astral et physique à parvenir à une sorte d'arrangement.

Imaginons que nous sommes dans l'astral. Notre corps physique est au-dessous de nous. Il vibre à une certaine vitesse alors que le corps astral frémit de vitalité, car dans l'astral la souffrance et la maladie n'existent pas. L'explication sera peut-être plus facile si nous nous exprimons en choses de la terre. Imaginons le problème comme s'il s'agissait d'un homme dans un autobus ; le véhicule roule à quinze ou vingt kilomètres à l'heure, mettons, et le passager doit absolument en descendre; mais on ne peut arrêter l'autobus. Alors le problème à résoudre, c'est de pouvoir sauter à terre de manière à ne pas tomber. Si le passager est imprudent et ne sait sauter en marche, il risque de se blesser grièvement mais avec de l'expérience on peut le faire aisément. Nous devons donc apprendre à sauter de l'autobus en marche comme nous devons apprendre à rentrer dans le corps alors que les vitesses des deux véhicules sont différentes.

Quand nous revenons de notre voyage astral, notre problème est de rentrer dans le corps. Comme au départ, les vibrations sont plus élevées dans l'astral que dans le physique et comme nous ne pouvons pas ralentir les unes ni accélérer les autres, nous devons attendre jusqu'à ce que nous puissions « synchroniser l'harmonie » entre les deux. Avec de la pratique, on y parvient, on arrive à ralentir légèrement les vibrations astrales et à accélérer tant soit peu les vibrations physiques, si bien que, malgré la très nette différence, il se produit une harmonie fondamentale, une compatibilité de vibrations, qui nous permet d'« atterrir » sans danger. C'est une question d'entraînement, d'instinct, de mémoire raciale, et, quand nous serons suffisamment experts, nous garderons nos souvenirs intacts.

Cela vous paraît-il trop difficile à comprendre, à imaginer ? Alors supposons que notre corps astral soit un pick-up. Votre corps physique est un disque tournant, par exemple, à 45 tours. Le problème consiste à placer l'aiguille sur le disque en mouvement de façon à ce qu'elle tombe sur un mot ou une note précis. Les meneurs de jeu dans les stations de radio savent infailliblement trouver sur un disque la place qu'ils désirent faire entendre. C'est une question d'habitude. Mais pour vous, qui n'êtes pas expert, c'est pratiquement impossible. Alors, si vous songez à la difficulté que vous avez à abaisser le bras du pick-up sur la note ou le mot choisis, vous comprendrez combien il est difficile (sans pratique) de revenir de l'astral avec ses souvenirs intacts.

Si vous êtes maladroit ou inexpert, et si vous revenez sans vous être synchronisé, alors vous vous réveillez maussade, « pas dans votre assiette »; vous avez la migraine et parfois la nausée. C'est parce que les vibrations différentes se sont réunies trop brusquement, produisant un désaccord, et la mécanique grince tout comme lorsqu'on change trop brusquement ses vitesses en automobile. Si nous revenons sans avoir accordé nos vibrations, notre corps astral n'entre pas exactement dans notre corps physique; il peut dévier d'un côté ou de l'autre et cela provoque un profond malaise.

Si nous avons le malheur de « rater » notre atterrissage, le seul remède est de nous rendormir ou de nous reposer le plus paisiblement que nous le pouvons, sans bouger, sans penser si l'on peut, pour laisser le corps astral se libérer à nouveau du physique. Il s'élèvera légèrement au-dessus du corps physique et puis, si nous le lui permettons, il redescendra et reviendra dans le corps parfaitement aligné. Nous ne nous sentirons plus déprimé ni malade. Cela exige de la pratique, et peut-être dix minutes de votre temps précieux. Il vaut mieux consacrer ces dix minutes à un nouveau retour et se sentir en forme que de sauter du lit précipitamment, malade à mourir, parce que vous n'irez pas mieux si vous ne vous rendormez pas afin de permettre à vos deux véhicules de s'aligner parfaitement.

Il arrive souvent qu'on se réveille le matin de mauvaise humeur, en guerre contre le monde entier. On met parfois des heures à se libérer de ces humeurs noires et profondément déprimantes. Il y a plusieurs raisons à cela; d'abord, dans l'astral on peut faire des choses agréables, aller dans les endroits plaisants et voir des gens heureux. Normalement, ces voyages sont une forme de récréation pour le corps astral, pendant que le corps physique dort et reprend des forces. Dans l'astral, on jouit d'une grande sensation de liberté, il n'y a plus de contrainte, plus de restrictions et c'est réellement merveilleux. Puis c'est le retour dans la chair pour une nouvelle journée de... de quoi? De souffrance? De travail harassant ou ennuyeux? Quoi que ce soit, c'est généralement déplaisant. Ainsi, étant revenu, ayant été arraché aux joies de l'astral, on est malheureux et irrité au réveil.

Ensuite, c'est une autre raison qui n'a rien d'agréable; quand nous sommes sur terre, nous sommes comme des enfants dans une salle de classe, ou essayant d'apprendre des leçons que nous avons préparées nous-mêmes avant de venir sur terre. Quand nous nous endormons, c'est afin que le corps astral quitte la classe et rentre chez lui, ses devoirs achevés. Mais bien souvent, une personne très satisfaite d'elle-même, qui se prend pour quelqu'un de très important, se réveillera au matin de fort méchante humeur. C'est généralement parce que cette personne a vu dans l'astral qu'elle gâche sa vie physique et que tout son orgueil ou sa satisfaction ne la mènent à rien. Ce n'est pas parce que telle personne possède une fortune ou de vastes propriétés qu'elle fait un bon travail. Nous venons sur terre pour apprendre des choses spécifiques, comme on va à l'école ou à l'université pour apprendre telle ou telle chose. Il serait parfaitement ridicule, par exemple, qu'un étudiant fasse de longues études pour être docteur en médecine ou en théologie et puis découvre que, pour une raison inexplicable, il va devenir éboueur et récolter toutes les ordures ménagères de sa petite ville!

Trop de gens pensent qu'ils ont magnifiquement réussi parce qu'ils ont amassé beaucoup d'argent en escroquant d'autres gens, en faisant payer trop cher, en profitant des autres. Ceux-là n'ont rien prouvé sinon qu'ils ont remarquablement fait faillite, dans leur vie terrestre. Le moment vient où chacun doit affronter la réalité, et la réalité n'est pas sur terre, car ici-bas tout est illusion, c'est un monde où toutes les valeurs sont faussées, où l'on croit que rien ne compte que l'argent, le pouvoir temporel et la situation sociale. Rien ne saurait être plus faux, car les moines mendiants de l'Inde et d'ailleurs sont plus riches, spirituellement, que le grand financier qui prête de l'argent à un taux d'intérêt exorbitant à de pauvres gens misérables. Ces financiers, ces usuriers n'hésitent pas à briser la carrière ou le foyer de ceux qui ont le malheur de ne pas pouvoir payer une traite...

Laissons dormir un de ceux-là, ou d'autres de leur espèce, et imaginons que, pour une raison quelconque, ils puissent se libérer de la chair et s'élever suffisamment pour voir le gâchis qu'ils font. ALORS, ils reviennent avec des souvenirs absolument bouleversants, ils ont conscience de ce qu'ils sont en réalité et ils se promettent de « tourner la page ». Malheureusement, quand ils sont rentrés dans le physique, ils ne peuvent rien se rappeler, puisqu'ils sont d'une nature basse, et ils disent simplement qu'ils ont passé une mauvaise nuit, ils houspillent leurs subordonnés et se montrent odieux avec tous ceux qui les approchent. Ils sont victimes du « cafard du lundi », mais hélas, cela ne se passe pas seulement le lundi, chez eux, mais tous les jours de la semaine!

Le « cafard du lundi »! C'est une formule bien connue, et la raison en est simple. La plupart des gens doivent travailler plus ou moins régulièrement, ou tout au moins se rendre régulièrement à leur lieu de travail toute la semaine; le samedi et le dimanche, on se repose, on dort plus paisiblement, et le corps astral voyage plus loin, s'élève peut-être pour voir comment se comporte sur terre le corps physique, et puis, quand il revient et que le corps physique reprend son travail le lundi, ce dernier est généralement triste et las.

Nous devons encore examiner, ne fût-ce qu'un instant, le cas d'une autre classe de personnes, celles qui dorment peu. Elles ont le malheur d'avoir la conscience astrale troublée au point que le corps astral n'a aucun désir de quitter le physique et d'aller affronter la vérité. Souvent, un ivrogne aura peur de s'endormir, craignant les entités fort intéressantes qui se rassemblent autour de son corps astral. Nous avons déjà évoqué les « éléphants roses » et autres hallucinations.

Dans ce cas précis, le physique reste éveillé et cela provoque de grandes souffrances, jusque dans l'astral. Vous avez certainement connu des gens énervés qui ne tiennent pas en place, qui ne peuvent se reposer un seul instant. Trop souvent, ce sont ceux qui ont la conscience lourde, si chargée qu'ils n'osent pas s'arrêter de crainte d'avoir à penser, de comprendre ce qu'ils sont, ce qu'ils font et ce qu'ils défont. L'habitude est vite prise; pas de sommeil, pas de détente, rien qui puisse donner au Sur-moi une chance d'entrer en rapport avec le physique. Ces gens sont comme un cheval qui a pris le mors aux dents et galope sur la route au hasard, follement, représentant un danger pour tout le monde. Si l'on ne peut dormir, on ne peut tirer profit de la vie sur terre; et, dans ce cas, on devra revenir pour faire mieux la prochaine fois.

Vous vous demandez peut-être comment déterminer si un rêve est une fiction ou le souvenir déformé d'un voyage astral. Le plus facile est de vous demander si, dans ce rêve, vous avez vu les choses avec une plus grande netteté que dans la réalité. Si la réponse est affirmative, alors c'est le souvenir d'un voyage astral. Les couleurs étaient-elles plus vives que sur terre? Là encore, il s'agit d'un voyage astral.

Souvent, nous voyons le visage d'un être aimé, ou nous avons soudain l'impression qu'il est proche; c'est parce que nous avons rendu visite à cette personne dans l'astral et si vous vous endormez en tenant sous vos yeux la photographie d'une personne aimée, alors vous pouvez être sûr que vous allez vous rendre auprès d'elle dès que vous fermerez les yeux et que vous vous détendrez.

Voyons maintenant le revers de la médaille. Vous vous êtes peut-être réveillé ce matin de mauvaise humeur, en colère, en pensant à certaine personne avec qui vous n'avez aucune affinité, avec qui vous n'êtes pas en harmonie. Peut-être vous êtes-vous endormi en pensant à cette personne, à quelque dispute, à une chicane que vous avez avec elle. Vous avez pu aller lui rendre visite dans l'astral et vous y avez discuté avec elle, vous avez peut-être même trouvé la solution à vos problèmes, vous avez peut-être déterminé tous deux, dans votre état astral, que une fois revenus sur terre, vous vous rappellerez la solution et que vous parviendrez à un accord amiable. Ou alors la lutte a pu être plus intense encore que sur terre, et, à votre retour, votre antipathie mutuelle s'est accrue. Mais, que vous vous soyez entendus ou non, si, à votre retour dans le physique, vous avez éprouvé un violent sursaut douloureux, alors vos bonnes intentions se dissiperont, l'accord sera détruit et, à votre réveil, vous aurez un souvenir de disharmonie, de discorde, de rage impuissante et même de haine.

Ce que l'on appelle les rêves sont des fenêtres ouvertes sur un autre monde. Cultivez vos rêves, examinez-les, quand vous vous endormez, le soir, dites-vous, répétez-vous que, à votre réveil, le lendemain, vous vous rappellerez nettement, clairement et sans contamination, tout ce qui vous est arrivé pendant la nuit. Cela peut se faire, cela se fait, c'est uniquement dans le monde occidental que le doute existe, que le scepticisme exige des preuves, et que ces souvenirs sont difficiles à conserver. En Orient, certaines personnes entrent facilement en transes, et ce n'est qu'une façon comme une autre de quitter le corps physique. D'autres s'endorment et, au réveil, ils tiennent la solution des problèmes qui les troublaient. Vous pouvez le faire aussi, avec de la pratique, et, avec le désir sincère de ne le faire que pour le bien; vous pourrez « rêver vrai » et ouvrir toute grande cette fenêtre donnant sur la phase la plus glorieuse de l'existence.

DIX-SEPTIÈME LEÇON

Il nous est arrivé de faire plusieurs fois allusion au Document Akashique et il est temps d'aborder ce sujet fascinant, car ce document concerne toute personne, toute créature qui ait jamais vécu. Grâce au Document Akashique, nous pouvons remonter le cours de l'Histoire, voir tout ce qui s'est passé non seulement dans ce monde mais bien d'autres, car les savants commencent à se douter de ce que les occultistes ont toujours su, c'est-à-dire que d'autres mondes existent, habités par d'autres personnes qui ne sont pas nécessairement humaines mais néanmoins douées de sensations.

Avant d'en dire davantage sur le Document Akashique, nous devons étudier quelque peu la nature de l'énergie, ou matière. La matière, nous apprend-on, est indestructible, éternelle. Les ondes électriques sont indestructibles. Les savants ont découvert récemment que, si l'on fait passer un courant dans un rouleau de fil de cuivre et que la température soit réduite au zéro absolu, le courant induit reste constant et son énergie ne diminue jamais. Nous savons tous qu'à des températures normales le courant perdrait de sa force et finirait par mourir à cause de diverses résistances.

Ainsi, la science a fait cette découverte : si un fil conducteur en cuivre est soumis à une température suffisamment basse, le courant demeure invariable sans source extérieure d'énergie. Avec le temps, les savants découvriront que l'homme possède d'autres sens, d'autres facultés mais il faudra attendre longtemps car les savants procèdent lentement, et pas toujours sûrement!

Nous avons dit que les ondes sont indestructibles. Examinons le comportement des ondes lumineuses. La lumière nous parvient des planètes les plus lointaines qui gravitent dans un autre univers que le nôtre. Sur notre terre, des télescopes géants fouillent l'espace; en d'autres termes, il reçoivent la lumière de mondes lointains. Certaines planètes dont nous voyons aujourd'hui la lumière l'ont émise longtemps avant que notre monde et même notre univers soient créés. La vitesse de la lumière est si rapide que nous ne pouvons l'imaginer mais c'est uniquement parce que nous sommes prisonniers du corps humain, enchaînés par toutes sortes de limites physiques. Ce que nous appelons « rapidité » signifie tout autre chose dans un niveau d'existence différent. Disons, par exemple, qu'un cycle d'existence humaine est de 72 000 ans. Pendant ce cycle, la personne revient perpétuellement, renaît à des mondes nouveaux, dans des corps différents. Ces 72 000 ans représentent donc la durée de notre « scolarité ».

Quand nous parlons de « lumière » au lieu d'ondes électriques ou autres, nous le faisons parce que la lumière peut être observée à l'œil nu, alors qu'une onde hertzienne reste invisible. Nous voyons la lumière du soleil, la réfraction de la lune et, si nous avons un bon télescope ou des jumelles puissantes, nous voyons la lumière des lointaines étoiles diffusée au moment où la terre n'était encore qu'un nuage de molécules d'hydrogène flottant dans l'espace.

La lumière sert aussi à mesurer le temps ou la distance. Les astronomes parlent d'années-lumière ; cette lumière venant d'un monde lointain peut voyager encore bien après que ce monde a cessé d'exister, ce qui signifie que nous recevons l'image d'un objet qui n'est plus là, qui est mort depuis longtemps. Si vous trouvez cela difficile à comprendre, nous allons tenter de vous l'expliquer ainsi : prenons une étoile dans l'infini de l'espace. Pendant des années, des siècles, des millénaires, cette étoile émet des ondes de lumière en direction de la Terre. Ces ondes lumineuses atteignent notre globe au bout de mille, dix mille, un million d'années tant cette étoile est éloignée de nous. Un jour, cette étoile entre en collision avec un autre corps céleste et se désagrège. Donc la source de lumière n'existe plus, mais pendant mille, dix mille, un million d'années après l'extinction de cette source, la lumière nous parvient parce qu'il lui faut tout ce temps pour couvrir la distance qui nous sépare de la source originelle. Ainsi, nous voyons la lumière alors que sa cause n'existe plus.

Supposons, ce qui est absolument impossible lorsque nous sommes prisonniers de notre corps physique mais tout à fait facile et courant lorsque l'on quitte ce corps, supposons donc que nous puissions voyager plus vite que la pensée. Nous avons besoin de nous déplacer plus vite parce que la pensée possède une vitesse définie, comme tout médecin vous le dira. On sait avec précision à quelle rapidité une personne réagit à une situation donnée, à quelle vitesse elle donnera le coup de frein ou de volant nécessaire pour éviter un accident de voiture. On connaît le temps que met une impulsion de la pensée pour atteindre les doigts de pied. Mais, pour les besoins de notre exemple, nous voulons nous déplacer instantanément. Imaginons que nous puissions nous transporter instantanément dans une planète qui reçoit la lumière que la terre a émise il y a 3 000 ans. Nous verrons alors nous-même cette lumière vieille de 3 000 ans. Supposons maintenant que nous ayons un télescope si puissant que nous puissions voir la surface de la terre, ou interpréter les rayons de lumière que nous recevons. Alors, nous verrions nettement ce qui se passait il y a 3 000 ans. Nous verrions la vie telle qu'elle était dans l'Égypte ancienne, nous verrions les hommes préhistoriques de l'Occident vêtus de peaux de bêtes, et, en Chine, une civilisation extrêmement évoluée, bien différente de celle d'aujourd'hui!

Si nous allons moins loin, nous verrons d'autres scènes. Transportons-nous dans une planète dont la lumière met mille ans pour atteindre la terre. Alors nous verrons exactement ce qui se passait, il y a mille ans, une haute civilisation en Inde, les invasions des Normands, le début des Croisades. La géographie nous paraîtrait différente, parce que dans certains endroits les côtes sont rongées par la mer, dans d'autres les sables gagnent sur l'océan. Au cours d'une vie humaine on ne remarque guère ces altérations, mais en mille ans, quels changements!

Nous vivons dans un monde aux limites précises, nous ne pouvons percevoir des impressions que sur une bande de fréquences fort étroite. Si nous pouvions utiliser pleinement nos facultés latentes, comme nous pouvons le faire dans l'astral, nous verrions les choses sous un tout autre jour, nous percevrions que toute matière est réellement indestructible, que toute expérience vécue depuis les commencements des temps continue d'émettre des radiations sous forme d'ondes. Grâce à des facultés spéciales, nous pourrions capter ces ondes comme nous interceptons celles de la lumière. Vous comprendrez mieux si nous prenons pour exemple un simple projecteur de diapositives; vous branchez votre projecteur dans une pièce obscure et vous glissez la diapositive. Si vous avez braqué votre appareil sur un écran ou un mur blanc, à une certaine distance, alors vous verrez l'image. Mais si votre projecteur est braqué sur la nuit, par la fenêtre ouverte, vous ne voyez qu'un faible faisceau de lumière, et pas la moindre image. Il s'ensuit que, avant de pouvoir être perçue, la lumière doit être interceptée, doit se refléter sur quelque chose. Si vous voyez un phare par une nuit claire et sans nuages, vous distinguez une luminosité mais c'est uniquement lorsque la lumière se braque sur des nuages ou sur un avion que vous la voyez pour ce qu'elle est.

Depuis des temps immémoriaux, l'homme rêve de voyager dans le temps. C'est évidemment une idée fantastique tant que l'on est prisonnier de la chair, et sur terre, parce que nos facultés physiques sont malheureusement limitées, parce que nos corps sont des instruments bien imparfaits et comme nous sommes ici pour nous instruire nous souffrons de scepticisme, d'indécision, nous exigeons des « preuves » avant d'être convaincus. Lorsque nous quittons la terre pour nous transporter dans l'astral, et même au-delà de l'astral, le voyage dans le temps est aussi simple que l'est, sur la terre, une promenade ou une soirée au cinéma.

Le Document Akashique, donc, est une forme de vibration qu'aucun terme terrestre ne peut décrire. Au mieux, nous pourrions l'assimiler à une onde de radio. Nous sommes environnés à tout moment par des ondes de radio venant de toutes les parties du monde; chacune émet un programme différent, dans des langues différentes, à des heures différentes. Il est possible que des ondes nous arrivent d'une certaine partie du monde pour diffuser un programme que nous entendrons demain! Toutes ces ondes sont là, mais nous ne les percevons pas, et tant que nous n'aurons pas un instrument appelé poste de radio nous ne pourrons capter ces ondes. Ici-bas, grâce à un appareil électrique ou électronique, nous ralentissons les fréquences des ondes et les convertissons en fréquences audio-visuelles, s'il s'agit de télévision. De même si, sur la terre, nous pouvions ralentir les fréquences d'ondes du Document Akashique, nous pourrions sans aucun doute faire passer des scènes historiques réelles sur notre écran de télévision ; alors les historiens auraient des crises en s'apercevant que l'Histoire telle que nous la racontent les manuels est complètement fausse!

Le Document Akashique, ce sont les vibrations indestructibles composant la somme totale tout comme les ondes émanent d'un émetteur de radio, mais qui ne se taisent jamais. Tout ce qui s'est passé sur la Terre existe encore sous forme de vibrations. Quand nous quittons notre corps, nous n'avons besoin d'aucun appareil récepteur pour comprendre ces ondes; nous n'employons rien pour les ralentir car, au contraire, nos propres «récepteurs» s'accélèrent quand nous abandonnons notre corps si bien que, avec de la pratique, avec de l'entraînement, nous pouvons recevoir ce que nous appelons le Document Akashique.

Revenons-en au problème du surpassement de la lumière. Ce sera plus facile, cependant, si nous parlons du son, parce que les ondes sonores sont moins rapides et nous n'aurons pas à découvrir de telles distances pour obtenir des résultats. Supposez que vous êtes au milieu d'un champ, par exemple, et soudain vous entendez un avion à réaction ultra-rapide. Vous entendez le bruit mais il est inutile de lever les yeux pour regarder dans la direction d'où semble provenir le son, car l'avion vole plus vite et par conséquent il l'a déjà dépassé quand vous levez les yeux. De même lors des bombardements, pendant la guerre, les malheureux tassés dans des caves poussaient un soupir de soulagement quand ils entendaient siffler une bombe car ils savaient que celle-là n'était pas pour eux, elle était déjà loin.

Le son voyage beaucoup plus lentement que la lumière. Par exemple, nous pouvons nous placer au sommet d'une colline et voir tirer un canon sur l'éminence d'en face. Nous voyons l'éclair et nous n'entendons la détonation qu'une seconde ou deux plus tard; pendant un orage, l'éclair précède le coup de tonnerre que nous entendons; il est certainement arrivé à tout le monde de calculer la distance à laquelle la foudre est tombée en comptant le nombre de secondes qui s'écoulent entre l'éclair fulgurant et le bruit du tonnerre, chaque seconde représentant approximativement un kilomètre.

Le Document Akashique contient tout ce qui s'est passé dans le monde. D'autres mondes ont chacun leur Document Akashique, un peu comme chaque pays a ses propres programmes de radio. Ceux qui savent comment s'y prendre peuvent se brancher sur la longueur d'onde akashique de n'importe quel monde et voir alors les événements historiques qui se sont déroulés, voir comment les livres d'Histoire sont falsifiés. Mais ce document, cet « enregistrement » akashique ne sert pas seulement à satisfaire la curiosité, il permet de voir votre propre vie. Lorsque nous mourons pour passer sur un autre niveau de l'existence, nous devons tous contempler ce que nous avons fait, ou négligé de faire, durant notre vie, nous voyons tout notre passé avec la rapidité de la pensée, pas seulement depuis le jour de notre naissance, mais jusqu'à celui où nous avons décidé où et comment nous aimerions naître. Alors, ayant pris connaissance de nos erreurs, nous travaillons encore, nous rectifions nos plans, tout comme un enfant qui a compris les fautes qu'il a faites dans un examen repasse cet examen et réussit.

Naturellement, il faut s'entraîner longtemps avant d'être capable de voir le Document Akashique, mais avec de la pratique, avec du travail et de la foi, nous pouvons y parvenir. Peut-être le moment est-il venu maintenant de parler de ce que l'on appelle la « foi ».

La foi est une chose définie qui peut et doit être cultivée, comme on cultive une habitude, ou une fleur rare dans une serre. La foi n'est pas une plante vivace mais une plante de serre. Elle doit être soignée, nourrie, surveillée. Pour conserver notre foi nous devons en répéter inlassablement l'affirmation afin que la certitude que nous en avons pénètre notre subconscient et s'y imprime. Le subconscient représente les neuf dixièmes de notre identité, donc la plus grande partie de nous-mêmes. Nous pouvons le comparer à un vieillard un peu paresseux qui ne veut pas être dérangé. Le vieux monsieur lit son journal, peut-être fume-t-il sa pipe, les pieds dans ses pantoufles. Il est las du bruit, de l'agitation; des années d'expérience lui ont appris à se protéger de toutes les interruptions et de toutes les distractions superflues. Le subconscient, comme un vieillard un peu sourd, n'entend pas, la première fois qu'on l'appelle. La seconde fois, il fait la sourde oreille parce qu'il ne veut pas entendre, parce qu'il ne veut pas être dérangé. A la troisième fois, il s'irrite parce que l'intrus le trouble alors qu'il a plutôt envie de lire le résultat des courses et refuse tout effort. Insistez, répétez votre foi et finalement le « vieillard » sursautera et quand votre affirmation sera implantée dans votre subconscient, alors vous posséderez la foi automatique.

Il convient de préciser que la foi n'est pas une croyance. Vous dites « je crois que nous sommes lundi » et cela signifie une chose particulière. Il ne vous viendra pas à l'idée de dire « j'ai la foi que nous sommes aujourd'hui lundi ». La foi est généralement une chose innée, atavique. Nous sommes chrétiens, bouddhistes ou juifs parce que nos parents l'étaient. Nous avons foi en nos parents, nous sommes persuadés que ce à quoi nos parents croyaient était bon, ainsi notre « foi » devient la même que la leur. Certaines choses qui, sur terre, ne peuvent être prouvées absolument exigent de la foi, mais on peut croire à d'autres, qui peuvent être prouvées ou non. Il y a une nuance, que nous ne devons jamais oublier.

Avant tout, demandez-vous ce que vous voulez croire, ce qui exige votre foi. Réfléchissez à ce qui nécessite votre foi, examinez la question sous tous les angles. La foi est-elle dans la religion, dans une faculté ? Examinez-la sous toutes ses faces et puis, une fois certain d'y penser positivement, affirmez à vous-même que vous pouvez faire ceci ou cela, ou que vous ferez ceci ou cela, ou que vous croyez fermement en ceci ou cela. Vous devez le répéter. Sinon, si vous ne répétez pas cette affirmation, vous n'aurez jamais la foi. Toutes les grandes religions ont des fidèles, qui vont à l'église, à la chapelle, à la synagogue, au temple et qui, par des prières répétées, non seulement pour leur salut mais pour celui des autres, ont imprégné leur subconscient de l'idée de foi. En Orient, il y a les mantras. Une personne répète un certain texte, la mantra, inlassablement. Il se peut que la personne ne comprenne même pas de quoi il est question dans cette mantra! Peu importe, parce que les fondateurs de cette religion ont composé les textes de telle façon que les vibrations provoquées par la répétition de la mantra enfoncent dans le subconscient la chose désirée. Bientôt, bien que la personne ne comprenne pas ce qu'elle répète, la mantra devient partie intégrante de son subconscient et la foi devient purement automatique. De même, si vous répétez les prières, vous finissez pas y croire. Il s'agit de forcer votre subconscient à comprendre et à coopérer, et, une fois que vous avez la foi, vous n'avez plus à vous inquiéter parce que votre subconscient vos rappellera que vous avez cette foi, et que vous pouvez faire certaines choses.

Répétez-vous sans vous lasser que vous allez voir une aura, que vous allez devenir télépathe, que vous allez pouvoir faire ceci ou cela, selon votre désir. Avec le temps, vous le pourrez. Tous les grands hommes, tous ceux qui ont réussi, tous les grands inventeurs sont des hommes qui ont eu foi en eux-mêmes, leur foi leur disait qu'ils étaient capables de faire ce qu'ils voulaient, parce qu'en croyant en eux, en leur pouvoir et en leurs possibilités, ils engendraient une foi qui exauçait leurs vœux. Si vous vous répétez que vous allez réussir, vous réussirez, mais à la condition de continuer à affirmer votre foi en votre succès et en fermant la porte au doute (le négatif de la foi). Essayez cette affirmation du succès, et les résultats vous stupéfieront.

Vous avez certainement entendu parler de gens qui peuvent raconter à une autre personne où ils étaient dans une vie précédente, et ce qu'ils faisaient. C'est une manifestation du Document Akashique, car beaucoup de personnes voyagent dans l'astral pendant leur « sommeil » et y voient le Document Akashique. Quand ils reviennent, au matin, ils en rapportent souvent un souvenir déformé, comme nous l'avons déjà vu, si bien que, si certains de leurs propos expriment la vérité, d'autres sont des distorsions. Vous constaterez que la majorité de leurs récits a trait à la souffrance. Ces gens semblent avoir été des bourreaux, des êtres vils. C'est parce que nous venons sur terre comme on va à l'école. Nous devons nous rappeler constamment que les épreuves sont indispensables pour purger un être de ses défauts, un peu comme le minerai est placé dans un creuset et soumis à des températures intenses afin que les déchets ou les scories remontent à la surface où ils peuvent être écumés et rejetés. Les humains doivent souffrir des épreuves qui les amèneront au bord de la dépression totale, mais pas tout à fait, afin que leur spiritualité soit éprouvée et leurs fautes effacées. Les hommes viennent sur cette terre pour apprendre, et ils s'instruisent beaucoup plus rapidement, et définitivement, par le malheur que par les bontés.

Notre monde est dur, c'est une école sévère, presque une maison de correction, et, bien qu'il y ait quelques rares rayons de bonté brillant comme un phare dans une nuit noire, presque tout est lutte et conflit. Si vous ne nous croyez pas, lisez l'histoire des nations, étudiez les guerres. Notre monde est vraiment impur et les plus hautes entités ont bien du mal à y descendre comme elles le doivent pour surveiller ce qui se passe. Il est évident qu'une plus haute entité descendant sur notre terre doit absorber un peu de cette impureté qui lui servira en quelque sorte d'ancre et la maintiendra en contact avec l'humanité. Celle qui vient chez nous ne peut demeurer sous sa forme pure et non contaminée, car elle ne supporterait pas les peines et les épreuves de la terre. Alors soyez prudent dans vos jugements, quand vous dites que telle ou telle personne ne peut pas avoir une aussi haute moralité qu'on le dit, parce qu'elle aime trop ceci ou cela. Tant qu'elle ne boit pas, elle est peut-être d'une très haute élévation. L'alcool, cependant, annule toutes ses hautes facultés.

Beaucoup de nos plus grands clairvoyants et télépathes souffrent d'une affection physique parce que la douleur accélère souvent le rythme des vibrations et confère au malade la clairvoyance ou la télépathie. On ne peut connaître le degré de spiritualité d'une personne simplement en la regardant. On ne peut dire d'un être qu'il est mauvais parce qu'il est malade; la maladie a pu être contractée délibérément afin que cet être puisse accroître la fréquence de ses vibrations dans un but précis. Ne jugez pas durement une personne parce qu'elle profère un juron ou ne se comporte pas comme vous pensez que doit se comporter une personne très spirituelle. C'est peut-être justement une très haute entité qui jure ou se livre à quelque « vice » afin d'avoir une ancre solide qui la retienne sur terre. Encore une fois, si cette personne ne s'adonne pas à la boisson, elle peut être d'une très haute spiritualité.

Il y a beaucoup d'impureté sur terre, et tout ce qui est impur se corrompt; seul le pur demeure incorruptible et éternel. C'est une des raisons de notre séjour sur la terre; dans le monde de l'esprit, au-delà de l'astral, la corruption n'existe pas, le mal n'existe pas dans les hautes sphères, alors les hommes viennent sur terre pour faire leur instruction « à la dure ». Nous répétons qu'une grande entité descendant sur la terre adoptera un vice ou une affliction, sachant fort bien qu'elle est venue pour une mission particulière et que, par conséquent, ce vice ne pourra être considéré comme le karma (nous verrons cela plus tard) mais comment un outil, un instrument, une ancre qui meurt et disparaît avec le corps physique.

Un dernier mot, d'une importance capitale : les grands réformateurs sont souvent des êtres qui, au cours d'une vie précédente, ont été de grands pécheurs dans le domaine même qu'ils tentent de « réformer » dans celle-ci. Hitler reviendra sans aucun doute dans le corps d'un grand réformateur, comme sont certainement revenus les inquisiteurs espagnols. Cela mérite que l'on y réfléchisse. N'oubliez pas... la voie médiane est le mode de vie que vous devez choisir. Ne soyez pas si mauvais que vous ayez à en souffrir plus tard, et ne soyez pas si pur, si saint que vous vous éleviez au-dessus du commun des mortels, et soyez incapable de demeurer sur cette terre. Heureusement, personne n'est aussi pur!

DIX-HUITIÈME LEÇON

Nous allons aborder bientôt les questions de télépathie, de clairvoyance et de psychométrie, mais avant tout il faut nous permettre une digression. Vous pensez naturellement que nous allons nous écarter du sujet, mais c'est délibéré; nous savons où nous voulons en venir, et il est bien souvent nécessaire, pour vous, d'attirer votre attention sur une question puis passer à une autre qui vous permettra de mieux comprendre la première.

Avant tout, il faut se persuader que les personnes désirant devenir clairvoyantes, communiquer par télépathie et posséder des facultés psychométriques doivent procéder sans hâte. On ne peut forcer le développement au-delà d'une certaine limite. Si vous voulez bien considérer la nature, vous découvrirez que les orchidées exotiques sont, sous d'autres climats, des plantes de serre et si leur développement a été forcé ce sont en vérité des fleurs bien fragiles. La même chose s'applique à tout ce qui doit être stimulé artificiellement. Les plantes de serre ne sont pas vivaces, elles sont la proie d'innombrables maladies. Nous voulons vous inculquer une télépathie bien solide, nous voulons vous rendre capable de voir dans le passé par la clairvoyance, et nous désirons que vous parveniez, en ramassant par exemple un galet sur une plage, à dire ce qui est arrivé à cette pierre au cours des siècles. C'est possible, vous savez, pour un très bon psychométriste, de prendre sur la plage un caillou qu'aucun homme n'a encore touché et de voir très nettement le moment où ce fragment de pierre était encore serti dans une montagne. Nous n'exagérons pas, c'est une chose toute simple, facile... quand on sait comment s'y prendre! Alors posons des fondations solides, parce qu'on ne peut bâtir une maison sur le sable si l'on veut qu'elle ne s'écroule pas.

Pour poser nos fondations, disons tout d'abord que la paix intérieure et la tranquillité sont les deux pierres d'angles de notre maison, car si l'on ne garde pas son calme on ne peut guère réussir dans la télépathie et la clairvoyance. La paix intérieure est absolument indispensable si l'on veut progresser au-delà des stades élémentaires.

L'homme est en proie à mille émotions contradictoires, constamment en conflit. On voit des gens courir dans la rue, sauter dans une voiture, foncer sur la route, courir pour sauter dans un autobus en marche. Le samedi soir, ils se précipitent dans les magasins pour acheter des provisions avant l'heure de la fermeture, avant de partir en week-end. Nos nerfs sont perpétuellement à vif, nos idées tourbillonnent, notre cerveau émet des étincelles de rage ou de frustration. Nous avons chaud, nous avons froid, nous nous énervons, nous sentons d'étranges tensions qui nous crispent. Par moments, on a envie d'exploser! Et vous le risquez effectivement. Mais vous ne réussirez jamais dans le domaine de la recherche ésotérique si vos ondes cérébrales s'affolent au point d'éteindre les signaux qui nous parviennent à tout moment, de partout, de tout le monde, alors que, si nous ouvrons notre esprit, nous les capterons et nous les comprendrons.

Vous est-il arrivé d'essayer d'écouter la radio pendant un orage ? Avez-vous jamais pesté devant votre écran de télévision parce que l'émission était brouillée par la faute d'un imbécile qui laissait tourner sous vos fenêtres le moteur de sa voiture, qu'il avait négligé d'équiper d'un système antiparasite ? Peut-être vous êtes-vous efforcé un soir d'écouter le programme d'une lointaine station de radio dans les hurlements et les crépitements d'un orage magnétique ? Ce n'est pas facile ! Les radios amateurs qui possèdent des postes à ondes courtes peuvent écouter le monde entier, les nouvelles de différents pays, la musique des cinq continents. Si vous êtes de ceux-là, et si vous avez écouté des pays lointains, vous savez qu'il est extrêmement difficile, par moments, de discerner les paroles couvertes par les parasites, naturels ou humains. Une voiture qui passe, le thermostat de votre réfrigérateur, la moulinette électrique de la voisine vous empêchent d'entendre. Vous collez l'oreille à votre haut-parleur, et vous pestez tandis que vous vous efforcez d'entendre le message transmis par la radio. Tant que nous ne serons pas débarrassés de ces « parasites » qui perturbent notre esprit, nous aurons bien du mal à pratiquer la télépathie, car le bruit provoqué par un cerveau humain est plus assourdissant que celui d'une vieille voiture. Vous haussez peut-être les épaules, vous croyez à de l'exagération, mais à mesure que vos pouvoirs se développeront dans ce domaine, vous vous apercevrez que nous avons été au-dessous de la vérité.

Développons encore ce thème, parce que nous devons être sûrs de ce que nous allons faire. Avant de commencer, nous devons connaître les obstacles qui se dresseront sur notre chemin, car si nous ne les connaissons pas, nous ne pourrons les surmonter. Considérons cela sous un angle différent : il est assez facile de téléphoner d'un continent à un autre, s'il existe un câble sous l'océan. La ligne téléphonique transatlantique relie Londres à New York, par exemple. Malgré ces câbles sous-marins, on reçoit seulement des bribes de conversation. Parfois il se produit ce qu'on appelle le « fading » ; mais, dans l'ensemble, on peut parvenir à s'entendre et à se comprendre. Malheureusement, tous les continents ne sont pas reliés par câbles ! Dans certaines régions, par exemple entre Montréal et Buenos Aires, on communique non par des câbles mais par quelque chose d'abominable appelé les « liaisons radio ». Jamais, au grand jamais, on n'aurait dû conférer à ce système affreux le nom de « téléphone » parce que son utilisation nous paraît un exploit dépassant l'endurance humaine. Les paroles sont souvent brouillées, interrompues, les hautes ou basses fréquences sont coupées, si bien que, au lieu d'entendre une voix humaine normale, nous ne percevons qu'un son monocorde qui pourrait être émis par un robot. On fait des efforts surhumains pour comprendre son correspondant mais cela n'est pas tout ! On doit continuer de parler, même si l'on n'a rien à dire, afin de « garder le circuit ouvert ». Ajoutez à ces inconvénients les parasites dont nous avons déjà parlé, et les réfractions ou reflets provenant des couches ionisées de l'atmosphère terrestre. Nous avons évoqué tout cela pour démontrer que le meilleur équipement de la terre est souvent hasardeux. A notre avis, la télépathie est un moyen de communication mille fois plus facile que le radiotéléphone!

Vous vous demandez sans doute pourquoi nous choisissons toujours nos exemples dans les domaines de la radio, de l'électronique et de l'électricité. La réponse est simple; le cerveau et le corps engendrent de l'électricité. Le cerveau et tous les muscles émettent des électrons en pulsation, qui sont en fait le programme de radio du corps humain. Ainsi, le comportement de ce corps, et la plupart des phénomènes de clairvoyance, de télépathie et de psychométrie peuvent être plus facilement compris. Nous nous efforçons de vous faciliter les choses, alors nous vous demandons d'étudier très sérieusement l'électronique et la radio car cela ne peut que vous rendre service. Plus vous étudierez ces sciences, plus vous progresserez facilement.

Les instruments délicats doivent être protégés des chocs. Si vous achetez un récepteur de télévision couleur très coûteux, vous n'allez pas taper dessus et vous ne jetterez pas sur le carrelage votre précieux chronomètre. Nous possédons le plus précieux des récepteurs — notre cerveau — et, si nous voulons en tirer le meilleur usage, nous devons le protéger des chocs. Si nous nous permettons de devenir frustrés, ou agités, alors nous allons engendrer en nous un type d'onde qui brouillera la réception des ondes extérieures. En télépathie, nous devons rester aussi calmes que possible, sinon nous perdrons notre temps si nous nous efforçons de recevoir les ondes des autres, c'est-à-dire leurs pensées. A la première tentative, nous n'obtiendrons guère de résultats. Alors concentrons-nous, et restons calmes.

Chaque fois que nous pensons, nous émettons de l'électricité. Si nos pensées sont paisibles, si nous ne sommes pas influencés par une émotion forte, notre électricité cervicale suivra une ligne relativement droite, sans sommets ni profondes vallées. S'il y a un sommet, cela signifie que quelque chose vient interrompre la régularité de notre pensée. Nous devons faire en sorte qu'il ne se produise aucun voltage excessif et que rien ne vienne provoquer de l'angoisse ni de la dépression dans notre processus de pensée.

Nous devons constamment cultiver notre paix intérieure, cultiver un comportement tranquille. Sans aucun doute, c'est énervant si le téléphone sonne lorsqu'on est dans son bain. Il est évidemment irritant que la robe dont on rêvait vienne d'être vendue, mais ces choses sont triviales et ne nous servent vraiment à rien lorsque nous quittons ce monde. Quand nous aurons vécu notre vie sur terre, elles n'auront guère d'intérêt et peu importera que nous ayons pris notre bain sans interruption ou que nous ayons pu acheter la robe convoitée. Répétons encore une fois (au cas où cela vous aurait échappé!) que nous ne pouvons emporter dans l'autre vie le moindre liard mais que nous pouvons emporter et conserver tout le savoir que nous avons accumulé car l'essence distillée de ce que nous apprenons sur terre est justement ce qui fait de nous ce que nous serons dans la vie future. Par conséquent, instruisons-nous, occupons-nous uniquement de ce qui ne peut nous être enlevé. Aujourd'hui, le monde a la folie de l'argent, de la possession. Certains pays d'Occident vivent dans une fausse prospérité mais tout le monde est endetté, tout le monde emprunte aux sociétés de crédit (descendantes des usuriers de jadis mais modernisées à grand renfort de chrome et de verre). Les gens veulent des voitures neuves, ils courent en tous sens, ils n'ont pas le temps de penser aux choses sérieuses, ils cherchent à atteindre ce qui n'a pas d'importance. Les seules choses qui importent sont celles que nous apprenons; nous emportons avec nous le savoir que nous avons acquis pendant notre séjour sur la terre et nous abandonnons notre fortune, si nous en avons, aux mains d'autres, qui la dilapideront. Par conséquent, nous devons concentrer notre esprit et faire porter tous nos efforts sur les seules choses qui nous appartiennent en propre, réellement... les connaissances.

Un des moyens les plus sûrs d'acquérir la tranquillité et la paix de l'esprit, c'est de savoir respirer. Nous devrions apprendre à respirer lentement, profondément. Nous devrions nous assurer que l'air vicié est complètement chassé de nos poumons. Si nous ne respirons que par le sommet des poumons, cet air qui est au fond devient de plus en plus vicié. Plus nous emmagasinons de l'air pur, plus forte sera la puissance de notre pensée, car nous ne pouvons vivre sans oxygène et le cerveau est la première chose à souffrir de manque d'oxygène. Si notre cerveau est privé de sa ration congrue, nous sommes fatigués, nous avons sommeil, nos mouvements s'alourdissent et nous avons du mal à réfléchir. Parfois, aussi, nous avons la migraine et si nous sortons pour respirer un peu d'air pur notre mal de tête se dissipe, ce qui prouve que le cerveau a grand besoin d'oxygène.

Quelques minutes consacrées à une respiration profonde peuvent calmer les émotions. Si vous êtes de mauvaise humeur, « pas dans votre assiette », si vous êtes en colère au point de vouloir étrangler quelqu'un, alors respirez, le plus profondément possible, et retenez votre respiration aussi longtemps que vous le pourrez. Puis expirez, très lentement. Faites cela trois ou quatre fois, et vous vous apercevrez soudain que vous êtes calmé.

N'avalez pas l'air, ne haletez pas, mais aspirez posément en pensant, car c'est parfaitement vrai, que vous aspirez la vie même, la vitalité, Pour vous entraîner, comprimez votre thorax, efforcez-vous d'expirer le plus d'air possible, videz complètement vos poumons jusqu'à ce que vous étouffiez. Puis, au bout de dix secondes environ, remplissez vos poumons complètement, dilatez votre thorax, aspirez encore, encore un peu. Quand vous aurez l'impression que vos poumons ne peuvent plus contenir d'air, retenez votre respiration et, au bout de cinq secondes expirez, expirez si lentement qu'il vous faudra au moins sept secondes pour vous vider de tout cet air. Contractez tous vos muscles pour exprimer la totalité de cet air, et puis recommencez. Répétez cet exercice six ou sept fois, et vous vous apercevrez que vos soucis et votre mauvaise humeur se sont dissipés, vous connaîtrez enfin la paix intérieure.

Si vous avez un rendez-vous important, respirez profondément, en attendant d'être reçu. L'inquiétude que vous avez ressentie disparaîtra comme par enchantement, votre cœur ne battra plus aussi vite, vous retrouverez votre assurance et la personne qui vous reçoit sera impressionnée par votre calme et votre confiance en vous. Essayez!

La vie quotidienne est irritante, pleine de frustrations qui nous font du mal. La vraie civilisation est tout autre, mais celle que nous connaissons nous enchaîne et nous ne pouvons y trouver la paix. L'homme qui habite une grande ville est plus nerveux, plus irritable que l'homme de la campagne. Il est donc de plus en plus indispensable de maîtriser nos émotions. Chez les personnes frustrées ou irritées, les sucs gastriques se concentrent et ces acides finissent par attaquer nos organes, par provoquer des ulcères douloureux. Or, tout le monde sait que l'ulcère est la maladie des gens nerveux.

Considérons un instant les petites irritations de la vie quotidienne. Vous vous demandez peut-être comment vous allez payer la note du gaz ou de l'électricité, si votre patron se décidera enfin à vous accorder l'augmentation que vous réclamez à juste titre... Calmez-vous! Posez-vous plutôt cette question : « Est-ce que cela aura de l'importance dans cinquante ou cent ans? » Chaque fois que vous vous sentez frustré, chaque fois que vous vous sentez accablé par les tensions et les soucis de la vie quotidienne, chaque fois que vous craignez de ne pouvoir résoudre vos problèmes, répétez-vous la même question : « Est-ce que ces soucis auront encore de l'importance dans cent ans? »

Notre prétendue civilisation est vraiment pénible. Tout conspire à nous faire émettre des ondes anormales, à créer des voltages anormaux dans les cellules de notre cerveau. Lorsque nous pensons normalement, il se produit un ensemble d'ondes rythmées que les médecins peuvent transcrire grâce à des instruments spéciaux. Si les ondes s'écartent de leur schéma normal, cela indique une maladie mentale. Les Orientaux savent parfaitement que si une personne peut maîtriser ses ondes cervicales anormales, elle retrouve toute sa lucidité. En Extrême-Orient les prêtres médecins utilisent certaines méthodes permettant au malade mental de guérir, en ramenant ses ondes cervicales à leur rythme normal.

Les femmes, en particulier au moment de la ménopause, souffrent d'une altération du rythme de leurs ondes. La raison en est simple; c'est parce que, à ce moment de leur vie, diverses sécrétions sont supprimées et généralement la femme en question a écouté tant de contes de bonne femme qu'elle s'imagine sincèrement que son retour d'âge sera pénible; et parce qu'elle le croit, elle en souffre réellement. Mais si une personne est convenablement préparée, elle ne connaîtra pas ce qu'on appelle les troubles de la ménopause. Nous mentionnons ce fait pour indiquer simplement que le corps est en quelque sorte un groupe électrogène qu'il est indispensable de maintenir en bon état, afin que le courant se diffuse continuellement; si le débit est régulier, nous sommes calmes, posés, mais s'il se produit des courts-circuits par suite de soucis, alors nous perdons notre calme. Mais ce n'est que provisoire!

Revenons-en cependant à notre fameuse question : « Quelle importance cela aura-t-il dans cent ans ? » Si vous faites du bien à une personne, alors cela aura certainement son importance dans cent ans, parce que vous lui aurez apporté de la lumière. Plus vous aidez les autres, plus vous vous aidez vous-même. C'est une loi occulte qui veut que l'on ne puisse recevoir si l'on n'a pas donné. Si vous donnez, que ce soit de l'argent ou de l'amour, vous recevrez à votre tour. Si l'on vous fait une gentillesse, vous devez la payer en rendant un service, mais nous ne nous étendrons pas sur ce sujet dans cette leçon car nous verrons plus tard cette question quand nous étudierons le karma.

Efforcez-vous de rester calme, efforcez-vous de comprendre que tous ces soucis, ces interruptions stupides qui vous empêchent de penser, n'ont aucune importance; ce ne sont que piqûres d'épingle et rien de plus. La paix intérieure est à vous, si vous voulez bien l'accepter. Il vous suffit pour cela de bien respirer afin que votre cerveau reçoive l'oxygène dont il a besoin, et de penser que toutes ces petites irritations stupides n'auront plus la moindre importance dans un siècle.

Avez-vous compris notre propos? Nous tentons de vous démontrer que la plupart des grands soucis n'existent pas. Quelque chose nous menace, nous sommes angoissés, nous avons peur de ce qui va nous arriver et nous nous mettons dans un tel état que nous ne savons plus où nous en sommes. Mais bientôt nous nous apercevons que nos craintes étaient injustifiées, que rien ne nous est arrivé de dramatique! Tant de terreur pour rien!

Le taux d'adrénaline était monté en nous, tout prêt à nous galvaniser pour l'action et puis, la terreur passée, il doit être dissipé, et nous nous sentons affaiblis, la réaction peut même nous faire trembler. La plupart des grands hommes de la terre ont dit que ce qu'ils craignaient le plus ne se produisait jamais, mais ils s'inquiétaient quand même et découvraient ensuite qu'ils avaient perdu leur temps. Si vous êtes troublé, vous ne pouvez être calme. Si vous vous agitez, vous ne pouvez connaître la paix intérieure et, au lieu d'être capable de recevoir un message télépathique, vous émettez un message confus, une irradiation de frustration qui non seulement vous empêche de capter les messages télépathiques mais brouille vos propres émissions. Alors vous devez, pour votre bien et celui des autres, pratiquer l'égalité d'humeur, rester calme, vous rappeler encore et toujours que tous vos soucis ne sont que des irritations sans importance. Ils vous sont envoyés pour vous mettre à l'épreuve!

Entraînez-vous à garder votre calme, à voir vos difficultés dans leur propre perspective; vous êtes peut-être irrité de ne pouvoir aller au cinéma ce soir, d'autant que c'est le dernier jour où passe ce film, mais après tout ce n'est pas d'une importance capitale. Ce qui est important, c'est que vous vous appliquiez à apprendre, à progresser, à vous améliorer parce que plus vous vous instruirez, plus vous pourrez emporter de choses avec vous dans votre prochaine vie, et moins vous serez obligé de revenir dans notre vieux monde affligeant.

Nous vous suggérons de vous allonger, de vous détendre. Couchez-vous, installez-vous le plus confortablement possible, de manière qu'aucun de vos muscles ne soit crispé. Joignez légèrement les mains et respirez profondément, régulièrement. Pensez alors, au rythme de votre respiration, « paix-paix-paix ». Vous découvrirez alors que vous êtes envahi d'une sensation de paix et de tranquillité quasi divine. Chassez toutes les pensées de discorde, concentrez-les sur la paix, la quiétude. Si vous pensez à la paix, vous aurez cette paix. Si vous pensez quiétude, vous aurez cette quiétude. Pour conclure cette leçon, nous vous affirmons que si les gens consacraient chaque jour dix minutes de leur temps à cet exercice, les médecins feraient faillite car ils n'auraient presque plus de malades !

DIX-NEUVIÈME LEÇON

Dans cette leçon, nous allons aborder un sujet qui nous intéresse tous : la télépathie. Vous vous êtes sans doute demandé pourquoi nous avons tant insisté sur la similarité entre les ondes du cerveau humain et celles de la radio. Cette leçon vous l'expliquera.

Voyez la figure 8. Comme vous pouvez le constater, nous l'avons intitulée la « Tête Sereine », parce que nous devons atteindre un état de sérénité avant de pouvoir pratiquer la télépathie, la clairvoyance ou la psychométrie; c'est pourquoi nous avons tellement insisté dans la leçon qui précède (avez-vous dit « ad nauseam »?) sur la nécessité d'être calme et tranquille. Nous devons être en paix avec nous-même si nous voulons progresser.

Réfléchissez; pourriez-vous écouter un bon concert symphonique si vous vous trouviez dans le voisinage d'une usine? Pourriez-vous apprécier de la musique classique, ou toute autre musique qui vous plaît, si des gens sautaient et dansaient autour de vous en glapissant à tue-tête? Non, naturellement! Vous éteindriez votre poste de radio pour galoper vous-même en hurlant, ou bien vous ordonneriez à tout le monde de se taire.

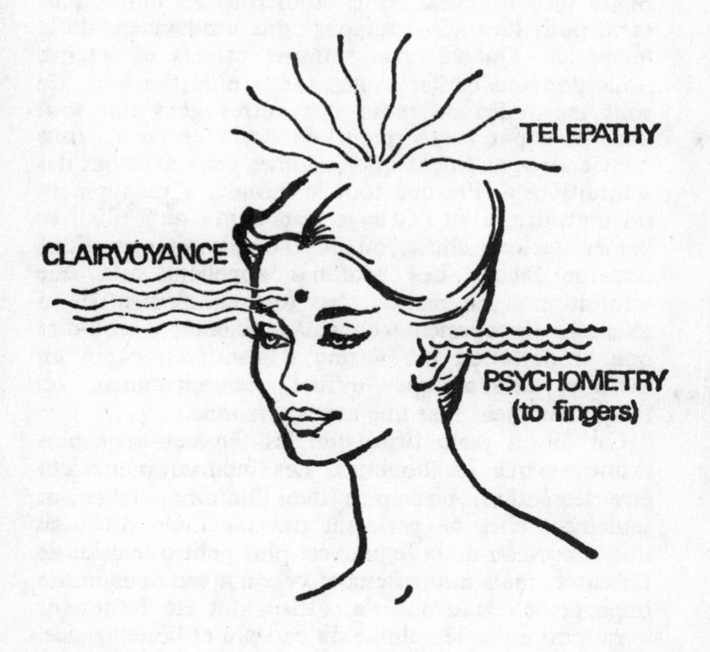

Fig. 8 : La tête sereine
Télépathie
Clairvoyance
Psychométrie
(vers les doigts)

Vous verrez, en examinant la « Tête Sereine », qu'il y a différents centres de réception dans le cerveau. Celui qui correspond plus ou moins au halo capte les ondes télépathiques. Nous étudierons les autres plus tard, pour l'instant occupons-nous uniquement de la télépathie. Quand nous sommes calmes et sereins, nous pouvons capter toutes sortes d'impressions. Ce sont les ondes de radio des autres gens qui sont absorbées par le récepteur de notre cerveau. Vous conviendrez aisément que certaines personnes ont des « intuitions ». Presque tout le monde, à un moment ou un autre, a eu l'étrange impression qu'il allait se passer quelque chose, ou que l'on devait agir d'une certaine façon. Les profanes appellent cela une « intuition ». En réalité, c'est tout simplement de la télépathie inconsciente ou subconsciente; c'est-à-dire que la personne qui a une « intuition » capte un message télépathique diffusé, consciemment ou inconsciemment, par une autre personne.

On dit, à juste titre, que les femmes sont plus intuitives que les hommes. Les femmes pourraient être télépathes, bien plus que l'homme moyen, si seulement elles ne parlaient pas tant! On dit aussi que le cerveau de la femme est plus petit que celui de l'homme, mais naturellement cela n'a pas la moindre importance. Beaucoup de sottises ont été écrites sur le rapport entre le volume du cerveau et l'intelligence. Si l'on partait de ce principe, un éléphant serait un génie! Le cerveau féminin peut « résonner » en harmonie avec les messages reçus et, pour parler encore une fois en termes de radio, il est semblable à un poste à transistors qui peut être, plus facilement que le cerveau masculin, branché sur une station. Vous rappelez-vous l'antique poste de radio, la « T.S.F. » de votre grand-père? Il y avait des manettes, des boutons, des cadrans partout et c'était un véritable exploit que de capter un programme, même local. Il fallait attendre que les lampes chauffent, on avait besoin d'un « cadre », il fallait régler le voltage, le volume. Votre grand-père pourra sans doute vous expliquer comment marchaient les premiers postes de radio. Aujourd'hui, on a un transistor de poche, on appuie sur un bouton et on entend les émissions diffusées à l'autre bout du monde. Le cerveau féminin est ainsi, plus facile à régler que celui de l'homme.

Pensez maintenant à deux jumeaux. Il est avéré que deux jumeaux réels sont constamment en contact, quelle que soit la distance physique qui les sépare. Imaginez qu'un de ces jumeaux soit en Europe et l'autre en Amérique, ils auront les mêmes pensées, chacun saura ce que l'autre fait. C'est parce qu'ils proviennent tous deux d'une même cellule, d'un même œuf, et leurs cerveaux sont en somme deux émetteurs-récepteurs constamment branchés sur la même longueur d'ondes.

Vous voulez savoir maintenant comment vous pouvez communiquer par télépathie. Vous pouvez le faire si vous avez la foi, si vous travaillez, mais avant tout vous devez avoir la paix intérieure, notre vieille amie bien connue. Voici comment vous devez vous y prendre.

Répétez-vous pendant un jour ou deux que tel jour, à telle heure, vous allez rendre votre cerveau réceptif afin qu'il puisse capter d'abord des impressions et puis des messages télépathiques définis. Dites-le-vous sans vous lasser, persévérez dans ces affirmations, dites-vous que vous allez réussir.

Au jour dit, à l'heure choisie, de préférence le soir, retirez-vous dans votre chambre, Éteignez les lumières trop fortes, assurez-vous que la température est à votre convenance. Puis allongez-vous dans la position que vous trouvez la plus confortable. Vous avez dans vos mains la photographie de la personne à laquelle vous êtes le plus attaché. La source de lumière devra se trouver derrière vous, de façon à éclairer la photo. Respirez profondément pendant quelques minutes, débarrassez votre esprit des pensées intruses, pensez à la personne dont vous tenez la photographie, regardez cette photo, imaginez que la personne est devant vous. Que vous dirait-elle ? Que répondriez-vous ? Formulez vos pensées. Si vous voulez, vous pouvez dire : « Parle-moi, parle-moi. » Puis vous attendez la réponse. Si vous êtes calme, si vous avez la foi, vous sentirez quelque chose s'agiter dans votre cerveau. Vous aurez tendance tout d'abord à croire à une illusion, à de l'imagination, mais ce n'est pas une illusion, c'est la réalité. Si vous refusez de croire, vous refusez de croire à la télépathie.

Le plus facile, pour acquérir des facultés télépathiques, c'est de travailler avec une personne que vous connaissez très bien, avec qui vous êtes très intime. Vous devrez d'abord parler de ce que vous voulez tenter, vous devrez convenir du jour et de l'heure auxquels vous tenterez de communiquer par télépathie. Chacun de vous devra se retirer dans sa chambre. La distance qui vous sépare n'entre pas en ligne de compte, vous pouvez être dans des continents différents, mais vous devez tout de même tenir compte de la différence des fuseaux horaire. Par exemple, s'il est 6 heures à Paris il est midi à New York. Vous devez y songer, sinon votre expérience échouera. Vous devrez aussi déterminer à l'avance de celui qui émettra et de celui qui recevra.

Imaginons que vous ayez décidé d'émettre ; au bout de dix minutes, ni plus ni moins, votre ami vous répondra. Vous ne réussirez peut-être pas à la première tentative, mais si vous persévérez, vous y parviendrez. N'oubliez pas qu'un bébé ne peut marcher à sa première tentative, il doit s'entraîner, tomber et recommencer. Vous ne réussirez sans doute pas à communiquer télépathiquement la première fois mais, avec de l'entraînement, tout deviendra facile.

Quand vous pourrez envoyer un message télépathique à un ami, ou en recevoir un, vous serez capable de capter les pensées des autres, mais vous ne le pourrez que si vos intentions sont bonnes!

On ne peut jamais, jamais employer la télépathie ou la clairvoyance ou la psychométrie pour faire du mal à une personne, pas plus qu'une autre personne ne peut vous en faire par ces moyens. On a prétendu que si une personne mauvaise était clairvoyante ou télépathe, elle risquerait de se servir de ses dons pour faire chanter des personnes qui auraient commis quelque faute. C'est absolument impossible, nous l'affirmons. On ne peut avoir en même temps dans un même endroit la lumière et les ténèbres, et l'on ne peut user de la télépathie pour faire le mal, c'est une loi inexorable de la métaphysique. Alors ne vous alarmez pas, les gens ne peuvent lire vos pensées dans un but mauvais. Certains le voudraient bien, sans doute, mais ils ne le peuvent pas, ils ne le pourront jamais. Nous insistons sur ce point parce que beaucoup de gens ont peur que, au moyen de la télépathie on ne devine leurs pensées les plus intimes, leurs craintes et leurs phobies. Il est certain qu'un être pur peut lire vos pensées, voir votre aura et deviner vos faiblesses, mais, si cet être est pur, il refusera de le faire, et, s'il est impur, il en sera incapable.

Nous vous avons conseillé de pratiquer la télépathie avec un ami, mais, si vous ne le pouvez pas, détendez-vous, allongez-vous comme nous vous l'avons dit, et laissez venir les pensées à vous. Vous découvrirez d'abord que votre esprit bourdonne d'idées contradictoires, vous aurez l'impression d'être dans une foule où tout le monde parle en même temps à tue-tête. Mais si vous le voulez, si vous essayez, vous pouvez distinguer une voix précise. Il en est de même pour la télépathie. Entraînez-vous, travaillez et ayez la foi, et alors, à condition que vous gardiez votre calme et que vous n'ayez nulle intention de faire du tort à une autre personne, vous pourrez devenir télépathe.

Venons-en à la clairvoyance. Sur notre figure 8, nous voyons les rayons de la vue clairvoyante s'irradier à partir de l'emplacement du troisième œil, et, comme vous pouvez l'observer, ils sont d'une fréquence différente de ceux de la télépathie. C'est en quelque sorte la même source qui aboutit à des résultats différents. Par exemple, lorsque vous recevez des messages télépathiques, c'est un peu comme si vous écoutiez la radio; quand vous captez des messages de clairvoyance, c'est comme si vous regardiez la télévision, bien souvent en « couleurs naturelles »!

Si vous voulez « voir », il vous faut un cristal ou tout autre objet scintillant. Si vous avez une bague ornée d'un solitaire, cela vaut bien une boule de cristal et c'est certainement moins fatigant à tenir! Là encore, vous devrez vous allonger confortablement, vous assurer que votre source de lumière est tamisée au possible. Mais supposons que vous ayez fait les frais d'une boule de cristal...

Vous êtes étendu sur votre lit, le soir, dans votre chambre fermée. Vos rideaux sont tirés. La pièce est si obscure que vous distinguez à peine le contour de votre boule de cristal. Si sombre que vous ne pouvez certainement voir aucun reflet dans ce cristal. Vous ne distinguez pratiquement rien, vous savez que vous tenez la boule, qu'il y a là « quelque chose ». Regardez dans la boule sans essayer de voir quoi que ce soit. Regardez comme si vous regardiez quelque chose de très lointain. Ce cristal est à quelques centimètres de vos yeux mais vous devez regarder à des kilomètres. Alors vous verrez la boule s'embuer petit à petit, vous verrez des nuages blancs se former et le cristal, au lieu d'être transparent, semblera plein de lait. C'est le moment critique, ne sursautez pas, ne bougez pas, ne vous alarmez surtout pas comme le font bien des gens, parce que le stade suivant...

La blancheur laiteuse se dissipe, comme des rideaux s'écartent pour révéler une scène. Votre boule de cristal a disparu, elle s'est envolée et à sa place vous voyez le monde. Vous le contemplez comme un dieu de l'Olympe pouvait le contempler, vous voyez peut-être des nuages avec un continent au-dessous, vous avez l'impression de tomber, vous risquez même de vous pencher machinalement. Maîtrisez-vous, parce que, si vous bougez, vous ne verrez plus rien et vous serez obligé de recommencer une autre fois. Mais supposons que vous ne sursautiez pas; vous aurez alors l'impression de descendre en piqué, vous verrez les continents se dérouler au-dessous de vous et puis vous vous arrêterez soudain au-dessus d'un lieu précis. Vos verrez peut-être un événement historique, vous semblerez peut-être atterrir sur terre au milieu d'une bataille et voir un char d'assaut foncer sur vous. Vous ne devez pas avoir peur parce que ce char ne peut vous faire de mal, il vous traversera et vous ne sentirez rien. Vous vous apercevrez peut-être que vous voyez par les yeux d'une autre personne, vous ne voyez pas son visage mais vous voyez tout ce qu'elle voit. Encore une fois, ne vous alarmez pas, ne sursautez pas, vous verrez très nettement, très clairement et bien que vous n'entendiez pas un son, vous saurez tout ce qui se dit. C'est ainsi que nous pouvons *voir*. Voilà la clairvoyance. C'est une chose très facile à condition, encore une fois, d'avoir la foi.

Certaines personnes ne voient pas vraiment une scène, elles en ont toutes les impressions, sans réellement VOIR. Cela arrive généralement chez ceux qui sont dans les affaires. Cette personne peut être très clairvoyante, mais si elle est commerçante, par exemple, elle est inconsciemment un peu sceptique, ce qui brouille les images; cette personne pense subconsciemment qu'une telle chose ne peut se produire, aussi, sans supprimer complètement sa vision, elle ne reçoit que des impressions vagues, aussi réelles néanmoins que des images.

Avec de l'entraînement, de la pratique, vous deviendrez clairvoyant. Avec de la pratique, vous pourrez vous transporter dans n'importe quelle période de l'Histoire, et voir ce qu'était en réalité cette Histoire. Vous serez amusé et stupéfait de constater bien souvent la fausseté des livres d'histoire, car ils reflètent la politique de leur temps.

Passons maintenant à la psychométrie.

La psychométrie est l'art de « voir avec ses doigts ». Tout le monde a fait des expériences de ce genre, vous prenez par exemple un tas de pièces de monnaie, et vous demandez à une autre personne d'en choisir une et de la garder entre ses mains pendant quelques secondes. Quand elle la remettra parmi le tas, vous trouverez tout de suite la pièce parce quelle sera plus chaude que les autres. Mais ce n'est là qu'une expérience amusante qui n'a sa place que sur une scène.

Ce que nous appelons psychométrie, c'est la faculté de prendre un objet et de connaître son origine, ce qui lui est arrivé, entre les mains de qui il est passé et quel était l'état d'esprit de cette personne. Vous pouvez pratiquer la psychométrie en demandant à un ami de vous aider. Voici comment vous devez vous y prendre.

Avant tout, vous devez prier votre ami de se laver soigneusement les mains. Puis vous prenez un caillou et vous lui demandez de le laver aussi, avec du savon, de bien le rincer. Quand votre ami se sera essuyé les mains, qu'il aura bien essuyé le caillou, il devra le tenir serré dans sa main gauche et penser fortement, pendant une minute environ, à ce qui lui plaît, à une couleur, à un objet, à la bonne ou la mauvaise humeur, n'importe quoi. Peu importe le sujet, il doit y penser fortement pendant une minute. Puis il enveloppera le caillou dans un mouchoir propre et vous le donnera. Vous ne devez pas ôter le mouchoir mais attendre d'être seul dans votre « chambre de contemplation ». Mais permettez-nous encore une digression...

Nous avons dit « dans la main gauche » et il faut expliquer pourquoi. Selon les règles ésotériques, la main droite est la main « pratique », la main consacrée aux choses de ce monde. La main gauche est la spirituelle, consacrée aux choses métaphysiques. Si vous êtes normalement droitier, alors vous obtiendrez de meilleurs résultats en utilisant pour la psychométrie votre main gauche « ésotérique ». Si vous êtes gaucher, alors vous emploierez votre main droite dans le sens métaphysique. Il convient d'observer que l'on obtient avec la main gauche des résultats impossibles à obtenir si l'on se sert de la main droite.

Lorsque vous serez dans votre chambre de contemplation, vous vous laverez très soigneusement les mains, vous les rincerez et vous les essuierez afin de ne conserver aucune impression sur vos mains. Couchez-vous, allongez-vous confortablement; pour cette expérience, la lumière n'a aucune importance, vous pouvez être dans le noir ou laisser toutes les lampes allumées, peu importe.

Dénouez alors le mouchoir et prenez le caillou dans votre main gauche, placez-le au centre de la paume. N'y pensez pas, ne vous en occupez pas, essayez simplement de chasser toutes vos pensées, de faire le vide dans votre esprit. Vous sentirez bientôt un très léger picotement au creux de votre main gauche et puis vous recevrez une impression, probablement celle que votre ami a voulu vous communiquer. Vous recevrez peut-être aussi l'impression qu'il pense que vous êtes complètement cinglé!

Si vous pratiquez cette expérience, vous découvrirez que, à condition d'être parfaitement calme et serein, vous pouvez capter les impressions les plus intéressantes qui soient. Quand votre ami en aura assez de vos expériences, vous pourrez les pratiquer seul; sortez, allez dans la campagne, ramassez un caillou qu'aucun homme n'a touché, à votre connaissance. C'est plus facile au bord de la mer, sinon vous pouvez creuser la terre. En vous entraînant, vous arriverez à des résultats vraiment remarquables ; vous pourrez par exemple ramasser un galet et savoir d'où il vient, à quelle montagne il appartenait avant d'en être détaché et emporté par une rivière et un fleuve jusqu'à la mer. Vous serez stupéfait de tout ce que vous pourrez apprendre grâce à la psychométrie, mais, encore une fois, il faut s'entraîner longtemps et, par-dessus tout, avoir l'esprit serein.

Il est possible de prendre une enveloppe et de deviner le contenu de la lettre avant de la lire. Il est également possible de prendre une lettre écrite dans une langue étrangère et, en passant légèrement le bout des doigts de la main gauche sur le texte, de comprendre de quoi il est question, sans connaître la signification des mots. Avec de l'entraînement c'est très facile, à la condition expresse de ne pas vouloir uniquement prouver qu'on le peut, pour se faire valoir aux yeux des autres.

Vous vous demanderez sans doute pourquoi certains êtres doués refusent de prouver qu'ils sont clairvoyants, qu'ils peuvent communiquer par télépathie, etc. C'est tout simple; la télépathie exige des conditions favorables et l'on ne peut communiquer si quelqu'un, près de vous, essaye de vous prendre en défaut car vous captez les ondes émises par les autres et, si vous avez près de vous une personne qui cherche à prouver que vous êtes un charlatan, ses radiations de scepticisme et de méfiance couvriront les ondes que vous pourriez capter. Nous vous conseillons vivement, si jamais quelqu'un vous demande de prouver de quoi vous êtes capable, de répondre que vous n'avez pas de preuves à donner; vous savez ce que vous pouvez faire, et vous n'avez pas à le démontrer.

Nous voudrions dire un mot sur les clairvoyants qui font un métier et tirent profit de leurs dons. Il est de fait que certaines femmes possèdent des dons de clairvoyance, mais ils ne sont pas constants, c'est-à-dire qu'elles ne peuvent « voir » à tout instant, à volonté. Bien souvent, une femme extraordinairement douée stupéfiera ses amis par ses prophéties et ils lui conseilleront d'en faire un métier. La malheureuse femme cédera sans doute, et s'installera dans une arrière-cour pour recevoir des clients et faire payer ses services. Naturellement, elle ne peut jamais dire à tel ou tel client que ce jour-là ses facultés de clairvoyance l'ont abandonnée, alors elle invente quelque chose, elle dit n'importe quoi. Pas tout à fait n'importe quoi, cependant, car en général ces femmes sont fines psychologues et savent « prévoir » ce qui fera plaisir au client. Mais plus elle inventera, plus elle verra ses facultés de clairvoyance lui échapper.

Il ne faut jamais se faire payer pour lire dans la boule de cristal ou dans les cartes, sinon on perd toutes ses facultés, on ne voit plus rien. Il ne faut jamais tenter de prouver que l'on est capable de faire ceci ou cela, sinon votre récepteur cervical sera brouillé, envahi par les parasites des ondes de ceux qui doutent de vous.

Il vaut mieux, bien souvent, ne pas avouer ses connaissances ésotériques. Plus vous paraîtrez normal, tout simple, plus vous pourrez capter les ondes.

Encore une fois, nous vous demandons de vous exercer, de travailler, de cultiver la paix intérieure sans laquelle vous n'obtiendrez aucun résultat. Avec de la sérénité et de la foi, vous pouvez parvenir à tout ce que vous voulez, vous pouvez *tout* faire.

VINGTIÈME LEÇON

Avant d'aborder le sujet de cette leçon, nous voudrions attirer votre attention sur un fait du plus grand intérêt, d'autant plus intéressant que nous avons beaucoup parlé, dans ce cours, des courants électriques du corps, et nous vous avons expliqué comment ils partaient du cerveau pour activer les muscles. Dans la revue *Electronics Illustrated*, à la page 62 du numéro de janvier 1963, nous trouvons un article intitulé « La stupéfiante main électronique russe ». Le professeur Aron Kobrinsky, qui occupe une chaire à l'Académie des sciences soviétique, a fait des études, avec ses assistants, sur les prothèses, ou membres artificiels. Jusqu'à présent, il était pratiquement impossible pour l'amputé de faire bouger un bras artificiel, mais les Russes semblent avoir résolu le problème.

Lors de l'amputation, deux électrodes spécialement conçues sont placées aux extrémités de certains nerfs, ceux qui commandent normalement les mouvements du bras, et lorsque le moignon est cicatrisé afin que le bras artificiel puisse être placé, les courants partant du cerveau vers les nerfs qui commandent les mouvements des doigts et du pouce passent dans la prothèse et sont amplifiés de manière à ce que des relais puissent animer les doigts et le pouce de la main artificielle. Il paraît que l'on peut même écrire une lettre. Dans ce numéro de *Electronics Illustrated* on peut voir la photo d'une personne tenant un crayon entre ses doigts artificiels, et qui semble vraiment écrire. Tout nous permet d'imaginer un avenir dans lequel toutes les prothèses seront contrôlées par des courants biochimiques.

Vous êtes sans doute un peu las de nos histoires de courants électriques, d'ondes cervicales, etc., et c'est pourquoi nous avons mentionné cet article passionnant. Mais nous allons maintenant aborder le chapitre des émotions, car nous sommes ce que nous pensons.

Si nos pensées sont trop tristes, elles engendrent un certain processus par lequel nos cellules se corrodent. Trop de tristesse, trop de misère peuvent aboutir à des maladies de foie, provoquer des troubles de la vésicule, et parfois même la mort. Imaginez un vieux couple, un homme et une femme mariés depuis très longtemps, très attachés l'un à l'autre. Soudain, la femme meurt et le veuf ne peut surmonter son désespoir. Il s'abandonne à son chagrin, il dépérit, il ne peut survivre à son épouse chérie, parce que sous le choc provoqué par cette perte le cerveau produit subitement un courant d'électricité à haute tension qui envahit le corps, pénètre dans les organes, dans les glandes, et provoque un état dépressif qui suspend les activités normales du corps. L'affligé s'engourdit, ne peut plus penser rationnellement, peut à peine se mouvoir. La stimulation excessive agit sur les glandes lacrymales et provoque des flots de larmes parce que ces glandes servent en quelque sorte de soupape de sûreté.

Le même phénomène se produit lorsque nous branchons une ampoule de 110 volts sur un courant à 220. La lumière est très vive pendant une fraction de seconde et puis l'ampoule se grille. Le corps humain peut également « griller »; il sombrera alors dans un coma et même dans la folie.

Nous avons certainement tous vu un animal qui a peur; peut-être a-t-il été pourchassé par un animal plus puissant, ou tout simplement votre chien a eu peur de l'orage. Il refusera de manger tant qu'il ne sera pas calmé, et l'on ne doit jamais obliger un animal à manger ce qu'il ne pourra digérer. Tous les sucs gastriques qui, normalement, font digérer les aliments cessent d'être sécrétés dès que l'animal a peur. Le chien refuse instinctivement de manger parce qu'il sait qu'il ne pourra digérer.

De même on ne doit jamais forcer une personne très nerveuse ou très déprimée, car si l'intention est certainement bonne, elle est contraire aux intérêts de la personne. Le chagrin, toute émotion profonde provoquent un changement radical dans les processus chimiques du corps. L'incertitude, la souffrance peuvent influer sur l'humeur, rendre une personne insupportable, « colorer » littéralement son point de vue, car chacun sait que les amoureux voient la « vie en rose »!

Si nous voulons progresser, nous devons cultiver l'égalité . d'humeur, équilibrer nos émotions de manière à n'être jamais trop enthousiaste ni trop déprimé. Nous devons nous assurer que nos ondes cervicales n'aient ni sommets aigus ni vallées profondes. Le corps humain est destiné à fonctionner d'une certaine manière. Les chocs auxquels le soumet la civilisation moderne ne peuvent lui faire que du mal. La preuve en est que les hommes d'affaires ont des ulcères, des infarctus, sont irritables, à cause de ces hautes tensions de l'électricité corporelle dont nous avons déjà parlé. Ces tensions gênent le fonctionnement de certains organes. La personne qui souffre d'un ulcère, par exemple, refuse de manger et les sucs gastriques deviennent de plus en plus acides, au point de brûler les parois stomacales ou intestinales. Par conséquent, celui qui veut progresser, pratiquer la télépathie, la clairvoyance, la psychométrie et toutes les autres sciences ésotériques, doit cultiver l'égalité d'humeur. Il le peut!

Libérez votre esprit de toute émotion, des moindres troubles. Lorsque vous vous sentez irrité, ou quand vous avez l'impression que vos faibles épaules doivent soutenir tous les soucis du monde, respirez profondément, respirez encore, posément. Répétez-vous que ces ennuis n'auront aucune importance dans cent ans. Alors, s'ils ne vous causeront aucun souci dans un siècle pourquoi vous en inquiéter maintenant?

La nécessité de conserver son calme est d'une importance capitale, pour notre santé physique et mentale, alors nous vous conseillons, lorsque vous vous sentez irrité, de réfléchir un instant, de vous demander pourquoi vous êtes de mauvaise humeur. Pourquoi êtes-vous si triste, si chagrin? Pourquoi bouleversez-vous la vie de ceux qui vous entourent et vous aiment? Rappelez-vous aussi qu'en étant sombre, irritable, en lâchant la bride à toutes les émotions mauvaises, c'est seulement à vous que vous faites mal, jamais à votre prochain. Il peut sans doute se lasser de vos caprices et de vos humeurs noires mais vous, vous vous empoisonnez aussi sûrement que si vous avaliez de l'arsenic ou du cyanure! Dans votre entourage, certaines personnes ont sans doute de plus graves soucis que vous, et pourtant elles ne paraissent pas souffrir de leurs tensions. Si *vous* vous laissez aller, si vous présentez les symptômes de la tension, cela signifie que vous ne voyez pas les choses telles qu'elles sont; cela peut même signifier que vous n'atteignez pas le niveau mental et spirituel de cette autre personne.

Nous sommes sur terre pour nous instruire, et jamais un être humain n'est obligé d'apprendre trop de choses en une fois. Nous pouvons avoir l'impression d'être persécutés, d'être l'objet des vindictes d'un sort malin, mais si nous voulons bien réfléchir sainement, nous verrons bientôt que personne ne nous en veut, que nous nous faisons des idées.

Encore une fois, prenons pour exemple les enfants. Un petit garçon rentre de l'école et doit faire ses devoirs; il peut penser qu'on l'accable, qu'il a bien trop de devoirs, surtout s'il a envie de sortir avec ses petits camarades, d'aller jouer au ballon, ou, s'il est plus grand, de courir après une personne de sexe opposé. Il pense tellement à ces jeux qu'il ne consacre pas un dixième de son esprit à son travail, et c'est pourquoi les devoirs lui semblent trop difficiles. Il se fatigue, son travail l'ennuie, il se sent frustré. Il finit par se plaindre à ses parents qu'on lui donne trop de devoirs à faire à la maison. A leur tour, les parents vont se plaindre à son professeur et l'accusent de rendre leur enfant malade. Personne ne songe à raisonner ce garçon qui est, après tout, celui qui doit s'instruire. Vous êtes comme cet enfant. Vous voulez faire des progrès? Alors vous devez vous soumettre à certaines règles, vous devez rester calme, vous devez suivre la voie médiane. Si vous travaillez trop, vous êtes tellement absorbé par votre travail que vous n'avez pas le temps de penser aux résultats que vous voulez obtenir.

La voie moyenne vous permet donc de ne pas trop travailler, elle vous permet de ne pas perdre de vue la forêt à cause des arbres. Cependant, vous ne devez pas non plus paresser; éviter ces deux extrêmes, et vous constaterez que vous faites des progrès. Trop de gens sont esclaves de leur travail, ils se donnent tant de mal que toute leur énergie, toute la puissance de leur cerveau est consacrée à l'exécution, et il ne reste plus de forces pour atteindre le but recherché. Si vous faites trop d'efforts, vous êtes comme une voiture qui roule constamment en première, qui fait beaucoup de bruit et n'avance pas.

VINGT ET UNIÈME LEÇON

Il est fort regrettable que certains mots aient été déformés au point de prendre un sens péjoratif. Beaucoup de termes qui sont descriptifs ont complètement changé de sens au cours des siècles, dans quelque langue que ce soit.

Prenez par exemple le mot « maîtresse ». Il y a moins d'un siècle, ce terme s'appliquait à la femme qui dirigeait sa maison, ses domestiques, c'était un mot parfaitement honorable, indiquant la femme du maître. Mais aujourd'hui, ce mot s'applique à un tout autre genre de femme !

Nous n'allons pas évoquer les vieilles maîtresses, ni les vieux maîtres, mais cet exemple nous a paru bon parce que, dans cette leçon, nous allons parler justement d'un mot dont la signification a changé au fil des ans. Il s'agit de l'« imagination ».

Ce terme est singulièrement tombé en disgrâce. Jadis, un homme imaginatif était un être sensible, un créateur, un homme capable d'écrire, de composer des vers ou de la musique. En fait, il était essentiel, pour l'honnête homme, d'être doué d'imagination. Aujourd'hui, il semble que ce mot s'applique plutôt à la malheureuse femme frustrée, qui se « fait des idées » et qui est au bord de la dépression nerveuse. Les gens ont tendance à écarter des expériences — qu'ils feraient mieux d'étudier! — avec un haussement d'épaules et une exclamation : « C'est de l'imagination! Ne sois pas stupide! »

L'imagination, donc, est un mot qui aujourd'hui n'a pas bonne réputation, mais l'imagination contrôlée est la clef capable d'ouvrir l'esprit, de faire comprendre bien des choses voilées de mystère. Il est bon de se rappeler de temps en temps que, dans une lutte entre l'imagination et la volonté, c'est toujours l'imagination qui remporte la victoire. Les gens se targuent de leur volonté, de leur courage indomptable, du fait que rien ne les effraie. Ils accablent d'ennui leurs interlocuteurs, en leur répétant sans cesse que leur volonté leur permet d'accomplir n'importe quoi. En réalité, leur volonté est impuissante tant que leur imagination ne la soutient pas. Ceux-là se sont laissé persuader par leur imagination que la volonté est indispensable. Nous répétons, et toute autorité compétente sera d'accord avec nous, que la volonté n'est rien sans l'imagination. Il n'y a pas de force plus grande.

Persistez-vous à croire malgré tout que la force de votre volonté vous permettra de faire des choses que refuse votre imagination? Posons un problème hypothétique, puisque c'est la mode!

Nous avons devant nous une rue déserte. Il n'y a pas de voitures, pas de badauds, la chaussée est à nous. Traçons à la peinture un chemin de un mètre de large d'un trottoir à un autre. Sans avoir à vous soucier des voitures ni des curieux, vos descendez tranquillement du trottoir et vous traversez la chaussée entre les deux lignes peintes, vous n'avez pas un instant d'hésitation, votre cœur ne bat pas plus vite.

Vous pouvez traverser entre ces lignes sans crainte parce que vous savez que la terre ne va pas s'ouvrir sous vos pas, vous savez qu'aucune voiture ne va vous écraser, vous savez que vous ne risquez absolument rien et, si par hasard vous trébuchez, vous ne tomberez jamais que de votre hauteur.

Changeons maintenant le décor. La rue est la même, nous la traversons et nous montons au vingtième étage de l'immeuble d'en face, au toit en terrasse. De là, nous regardons de l'autre côté de la rue et nous constatons que nous sommes à niveau d'une autre terrasse, située juste en face. Si nous nous penchons au-dessus du parapet, nous pouvons voir sur la chaussée nos deux lignes peintes. Bien. Maintenant nous allons nous procurer une longue planche, large d'un mètre, de la largeur exacte du chemin que nous avons tracé par terre. Nous l'étendons en travers de la rue pour l'appuyer sur le parapet d'en face, à vingt étages du trottoir. Nous l'assujettirons aussi solidement que possible, nous nous assurerons qu'elle est bien lisse, qu'aucune bosse ne peut nous faire trébucher.

Nous avons donc un chemin de la même largeur que celui de la chaussée. Pouvez-vous marcher sur cette planche solidement fixée à 60 ou 70 mètres du sol et traverser sans encombre pour atteindre le toit d'en face ? Si votre imagination vous dit que vous le pouvez, alors vous marcherez tranquillement sur cette planche et vous arriverez en face sans ennuis. Mais si votre imagination n'est pas aussi complaisante, votre cœur battra follement à la seule pensée d'accomplir cet exploit, votre estomac se crispera, vous serez livide de peur. Mais pourquoi ? Vous avez déjà traversé la rue, alors pourquoi ne pouvez-vous la franchir en marchant sur cette planche solidement arrimée? La réponse est simple; votre imagination fait des siennes, votre imagination vous crie qu'il y a du danger, que si jamais vous perdez l'équilibre, si vous glissez, vous tomberez et vous vous tuerez. On a beau tenter de vous rassurer, rien n'y fait car votre imagination est plus forte que votre volonté. Si vous tenez néanmoins à prouver la force de cette volonté, vos nerfs céderont, vous vous mettrez à trembler, vous pâlirez et votre respiration deviendra désordonnée.

Nous possédons en nous certains mécanismes qui nous préviennent et nous protègent du danger, des systèmes de sauvegarde automatiques qui retiennent l'être humain normal au moment où il voudrait prendre un risque stupide. L'imagination fait qu'il est impossible pour une personne de marcher sur cette planche, et aucun raisonnement ne pourra la persuader qu'elle ne risque rien, qu'il suffit d'imaginer qu'on peut le faire. Tant que vous ne vous « imaginerez » pas debout sur cette planche, marchant paisiblement et sans crainte vers l'autre toit, vous n'y parviendrez pas.

Si l'on fait appel à sa volonté, si on se force à faire une chose que réprouve l'imagination, on risque fort une dépression nerveuse, car, nous le répétons, en cas de lutte entre l'imagination et la volonté, c'est toujours la première qui remporte la victoire. Si l'on se force à faire quelque chose alors que toutes les sonneries d'alarme retentissent en nous, nos nerfs n'y résisteront pas, pas plus que notre santé.

Certaines personnes sont terrifiées d'avoir à longer un cimetière à minuit. Si elles y sont obligées, elles sentent leurs cheveux « se dresser sur leur tête », elles ont les mains moites, toutes les perceptions sont aiguisées, chaque impression exagérée, et elles deviennent capables de faire un bond prodigieux dépassant leurs possibilités normales si jamais elles croient voir un fantôme.

Les personnes qui n'aiment pas leur travail doivent se forcer, ce qui produit souvent un mécanisme d'évasion. Certains de ces phénomènes provoquent parfois d'étranges résultats, mais c'est un mal pour un bien car ce sont des avertissements; si l'on n'en tient pas compte, la dépression nerveuse ou même l'aliénation mentale n'est pas loin. Nous allons vous raconter une histoire vraie; nous avons personnellement connu les faits, nous connaissons l'homme et nous savons quels ont été les résultats de ce cas.

Cet homme était comptable et travaillait debout toute la journée parce que son travail l'exigeait et ne pouvait se faire assis. C'était un excellent comptable, il avait le don des chiffres mais il souffrait d'une phobie; il vivait dans la terreur de faire un jour une erreur de calcul, et peut-être même d'être accusé d'avoir falsifié les comptes afin de voler ses patrons. En réalité, il était d'une honnêteté scrupuleuse, c'était un de ces individus de plus en plus rares qui n'emportent jamais une pochette d'allumettes dans un hôtel, ni même le journal oublié par un voyageur sur une banquette. Malgré tout, il avait peur que ses patrons ne reconnaissent pas son honnêteté. Son travail était devenu pour lui une source d'inquiétude constante.

Il se fit de plus en plus nerveux, de plus en plus préoccupé. Il essaya de faire comprendre à sa femme que son métier lui pesait et envisagea d'en changer, mais elle refusa de l'écouter. Il garda donc son emploi. Mais, avec le temps, il devint la victime de son imagination. Il eut d'abord un ulcère de l'estomac. Grâce à de bons soins et à un régime sévère, l'ulcère fut guéri et il reprit son travail, toujours debout à son pupitre. Un jour, il se dit que, s'il ne pouvait plus se tenir debout, il lui faudrait bien quitter cet emploi.

Quelques semaines plus tard, un ulcère se déclara à son pied. Pendant quelques jours, il se rendit en boitant à son travail, et souffrit beaucoup, mais l'ulcère ne fit qu'empirer et il dut garder le lit. Loin de son bureau, bien tranquille chez lui, il guérit rapidement, et retourna de nouveau au travail. Mais son subconscient le harcelait sans cesse, le faisant raisonner, sans doute, de la façon suivante : « J'ai échappé à cet emploi horrible en ayant mal au pied, ils m'ont guéri trop vite, alors trouvons quelque chose de plus grave. »

Quelques mois plus tard un nouvel ulcère apparut à la cheville. Il ne pouvait plus bouger le pied et on dut l'hospitaliser pour l'opérer. Après des semaines de convalescence, il retourna encore une fois à son bureau.

Maintenant, la haine de son travail le minait. Bientôt un autre ulcère se déclara, entre la cheville et le genou, si grave, cette fois, qu'il fallut l'amputer. Alors, à la grande joie de cet homme, son patron refusa de le reprendre, disant qu'il n'avait pas besoin d'un infirme chez lui, d'un homme toujours malade!

A l'hôpital, les médecins avaient étudié et compris ce cas, aussi s'appliquèrent-ils à trouver à cet homme un emploi différent, pour lequel il avait montré beaucoup d'aptitude pendant son séjour; c'était une forme d'artisanat. Ce travail plut à notre ami et il réussit parfaitement. Maintenant, il n'avait plus peur de se retrouver en prison pour une erreur de calcul, ni d'être accusé de vol, aussi sa santé s'améliora-t-elle et, à notre connaissance, il prospère dans sa nouvelle situation et il est très heureux.

C'est un cas extrême, bien sûr, mais nous voyons tous les jours des hommes d'affaires harassés qui ont peur de la faillite, peur de leur patron, ou peur de « perdre la face », qui, eux aussi, cherchent un moyen d'évasion et ont des ulcères d'estomac, la maladie des P.-.G.!

L'imagination peut faire s'écrouler un empire, mais aussi bâtir des empires. Si vous cultivez votre imagination, et si vous savez la contrôler, vous pourrez avoir tout ce que vous voulez. Il est impossible de donner des ordres à son imagination, parce qu'elle a bien des points communs avec la mule; on peut diriger une mule mais elle ne se laisse pas conduire de force; de même vous pouvez diriger votre imagination mais vous ne pouvez la conduire. Cela nécessite de la pratique, mais on y parvient.

Alors, comment allez-vous vous y prendre pour contrôler votre imagination? C'est avant tout une question de foi, d'entraînement. Pensez à une situation quelconque qui fait naître en vous la peur ou le dégoût, et puis surmontez ces sentiments par la foi, en persuadant votre imagination que *vous* pouvez faire une chose. Persuadez-vous que vous êtes quelqu'un de spécial, un être à part, si vous voulez; peu importe votre méthode si vous parvenez à faire travailler votre imagination pour vous. Revenons à notre exemple de la rue à traverser; dites-vous que vous pouvez facilement marcher sur une planche large d'un mêtre posée en travers de la chaussée. Alors, grâce à la foi, en vous répétant que vous n'êtes pas comme les autres, que vous possédez un don spécial, vous réussirez à persuader votre imagination que vous pouvez aisément traverser la rue sur cette planche bien qu'elle soit posée à vingt étages du sol.

Ou alors dites-vous que vous êtes un singe plus ou moins stupide qui ne connaît pas le vertige et peut passer sur cette planche sans la moindre crainte. Qui a plus de valeur? Vous ou le singe? Si un animal ou un idiot peuvent passer sur cette planche, alors vous, qui valez dix fois mieux qu'eux, le pouvez aussi. C'est uniquement une question d'entraînement, de foi. Pensez aux célèbres funambules, à Blondin qui a franchi sur un fil les chutes du Niagara. Blondin était un homme comme vous qui avait foi en ses possibilités, qui se croyait capable de faire ce qui était impossible à d'autres. Il savait que la seule chose à craindre était la peur d'avoir peur, il avait confiance en lui, il savait qu'il pouvait passer sur ce fil, même les yeux bandés.

Nous avons tous vécu ce genre d'expérience. Nous pouvons monter au sommet d'une longue échelle et tant que nous ne regardons pas en bas nous n'avons pas peur. Mais dès que nous baissons les yeux sur le sol, nous pensons à la mort horrible qui serait la nôtre si nous tombions. Notre imagination nous montre notre chute, nous nous sentons tomber, nous nous voyons en sang, écrasé au sol; elle peut nous faire tenir les barreaux de l'échelle si fortement que nous ne pouvons plus les lâcher. Les couvreurs eux-mêmes éprouvent parfois de ces peurs!

Si vous contrôlez votre imagination en ayant foi en vous, en vos possibilités, alors vous pouvez faire n'importe quoi. Vous ne pourrez y parvenir en essayant de maîtriser votre imagination par la force; votre volonté ne pourra jamais vaincre votre imagination, elle provoquera au contraire des névroses. Rappelez-vous, une fois de plus, que vous devez guider votre imagination, la diriger et la contrôler. Si vous cherchez à la conduire par la force, vous échouerez. Si vous savez la guider, vous ferez toutes ces choses que vous aviez crues impossibles. Alors, avant tout, persuadez-vous que rien n'est impossible. L'impossible n'existe pas!

VINGT-DEUXIÈME LEÇON

Vous avez sans doute entendu parler de la « loi de karma ». Malheureusement, la plupart de ces questions métaphysiques ont reçu des noms sanscrits ou brahmanes, de même que les termes médicaux, anatomiques et scientifiques ont des noms latins ou grecs qui peuvent indiquer un type de fleur, ou l'action d'un muscle ou d'une artère. La raison en remonte à la nuit des temps. Jadis, les médecins, tous les docteurs, voulaient garder pour eux leur savoir et, en ce temps-là, ils étaient les seuls à être instruits. L'étude du latin était indispensable, aussi les savants prirent-ils l'habitude d'employer des mots latins afin de cacher aux profanes ignorants la signification des termes techniques, et cela a persisté jusqu'à nos jours.

Cela présente naturellement des avantages certains, que tous les termes techniques soient tirés d'une seule seule langue, parce que peu importe alors la langue parlée par les savants; ils peuvent toujours s'entendre avec un confrère étranger en ayant recours au latin. A bord des navires et des avions, les opérateurs radio font de même quand ils emploient le morse ou le nouveau code «Q». Souvent, vous verrez des radios amateurs s'entretenir avec d'autres amateurs du monde entier en employant le code qui leur permet de communiquer bien qu'ils ne parlent pas la même langue.

Le sanscrit est un langage connu des occultistes du monde entier, aussi, si l'un emploie le mot « karma » l'autre imagine immédiatement la « loi de sujétion à l'enchaînement des causes ». Le karma n'a donc rien de mystérieux, rien d'effrayant. Notre intention, dans ce cours, est de placer la métaphysique sur un plan rationnel; nous ne voulons pas employer de termes abstraits parce que, à notre avis, il n'y a rien dans la métaphysique qui soit si difficile que l'on ait besoin d'avoir recours à des termes qui bien souvent ne font que jeter la confusion dans les esprits.

Tirons la « loi de karma » hors de son contexte métaphysique, oublions-la, et considérons plutôt la loi terrestre. Voici ce que nous voulons dire :

On vient de faire cadeau d'une motocyclette au jeune Johnny. Il est ravi de s'asseoir sur cette puissante machine et d'emballer le moteur dont le bruit l'enchante. Mais cela ne lui suffit pas, naturellement. Le jeune Johnny prend la route et sans doute roule-t-il prudemment, au début, mais bientôt la vitesse l'enivre et il va de plus en plus vite, sans se soucier des panneaux de limitation de vitesse. Soudain, il entend une sirène derrière lui, une voiture de police le double et lui fait signe de s'arrêter sur le bas-côté. Johnny ralentit tristement, s'arrête et attend avec appréhension l'agent qui va lui dresser contravention.

Ce petit exemple nous démontre qu'il existe certaines lois, dans ce cas celles de la circulation interdisant de rouler au-dessus d'une certaine vitesse autorisée. Johnny l'ignorait et il en est puni; il devra payer une amende pour avoir violé la loi.

Un autre exemple ? Très bien ! Bill est un paresseux, il a horreur du travail, mais il a une petite amie qui lui coûte cher. Elle ne le fréquente qu'à la condition qu'il puisse lui acheter tout ce qu'elle désire. Il lui importe peu, pense-t-elle, comment Bill se procurera ces choses, du moment qu'il les lui donne...

Un soir, Bill sort de chez lui dans l'intention de cambrioler quelque magasin, dans l'espoir d'obtenir assez d'argent pour satisfaire les caprices de sa petite amie. Un manteau de vison ? Une montre de platine incrustée de diamants ? Quoi que ce soit, Bill s'en va cambrioler ce magasin, avec l'approbation pleine et entière de la fille. Silencieusement, il fait le tour de l'immeuble, cherchant un moyen d'y pénétrer. Il découvre enfin une fenêtre qui lui paraît prometteuse ; elle est à sa hauteur, aussi, avec une habileté née d'une longue habitude de ce genre d'exercice, il glisse la lame de son couteau sous la fenêtre à guillotine et parvient à la faire glisser. Puis il s'immobilise. A-t-il entendu un bruit ? L'a-t-on entendu lui-même ? Non, tout est silencieux. Il se hisse et s'insinue par l'ouverture. Pas un bruit, pas un grincement. Doucement, il pénètre en chaussettes dans le magasin et prend tout ce qu'il désire, des bijoux dans une vitrine, des montres, et une bonne liasse de billets dans la caisse. Satisfait de son butin, il retourne à la fenêtre et regarde prudemment au-dehors. Il n'y a personne ; il remet ses souliers et s'approche d'une porte, pensant qu'il sera plus facile de sortir par une porte que de se glisser de nouveau par l'étroite fenêtre, au risque de casser ou d'endommager les produits de son vol. Silencieusement, il tire les verrous et sort. Il n'a fait que quelques pas dans la nuit quand une voix dure crie soudain : « Ne bouge plus ou je tire ! » Bill est paralysé par la terreur, il sait que les policiers sont armés, qu'ils n'hésiteront pas à tirer. Un faisceau de lumière aveuglante troue la nuit et se braque sur sa figure. Il lève les bras au ciel, tristement, et s'aperçoit qu'il est cerné par des policiers. Ils le fouillent rapidement pour voir s'il est armé et le soulagent de son très précieux butin. Il est conduit à la voiture de police et se retrouve bientôt enfermé dans une cellule.

Quelques heures plus tard, la petite amie de Bill est réveillée par un agent de police. Elle s'indigne et pousse des cris lorsqu'on la met en état d'arrestation. Arrêtée, elle ? Oui, naturellement, car l'amie de Bill est complice du vol et, en l'incitant à cambrioler le magasin, elle s'est rendue aussi coupable que lui.

Les lois de la vie sont ainsi. Mais quittons un moment le monde physique pour parler du karma, qui est un acte mental ou physique engendrant le bien ou le mal. Vous connaissez le vieux proverbe : « Qui sème le vent récolte la tempête. » Il signifie exactement cela. Si vous semez de mauvaises actions, vous récolterez un mauvais avenir, dans cette vie ou dans la prochaine, ou dans la suivante, ou dans une autre encore. Si, au cours de votre vie, vous semez le bien, si vous faites preuve de bonté et de compassion envers les malheureux, alors, quand votre tour viendra d'être dans le malheur, quelqu'un, quelque part, aura pour vous de la bonté et de la compassion.

Dites-vous bien ceci : si une personne a des malheurs, ce n'est pas parce qu'elle est punie, parce qu'elle est mauvaise, mais peut-être pour la mettre à l'épreuve, pour voir comment cette personne réagit au malheur, à la souffrance; c'est peut-être un procédé de « raffinage » destiné à chasser par la souffrance certaines des impuretés et des égoïsmes de l'humanité. Tout le monde, prince ou mendiant, voyage le long de ce que nous appelons la Roue de la

Vie, le cercle de l'existence éternelle. Un homme peut être roi dans une vie mais dans la suivante il sera peut-être un mendiant, un vagabond errant de ville en ville pour chercher sa pitance, cherchant du travail et n'en trouvant pas ou simplement poussé comme une feuille morte par le vent.

Il y a des gens qui sont exempts des lois du karma, aussi ne devons-nous pas penser : « Oh! comme la vie de cette personne a été terrible, elle a dû gravement pécher dans une vie antérieure. » Les plus hautes entités (que nous appelons « Avatars ») descendent sur terre afin d'accomplir certaines missions. Les Hindous, par exemple, croient que le dieu Vichnou descend périodiquement sur terre afin de rappeler à l'humanité les vérités de la religion que les hommes ont fâcheusement tendance à oublier. Cet Avatar, ou Être Avancé, viendra souvent vivre ici-bas pour donner un exemple de pauvreté, pour montrer comment on doit être compatissant, malgré une apparente immunité à la souffrance. Rien ne saurait être plus faux que cette immunité car l'Avatar, étant d'une essence plus pure, souffre d'autant plus intensément.

L'Avatar n'est pas né parce qu'il doit *être,* il ne vient pas au monde de façon à vivre son karma. Non, il vient sur terre comme une âme incarnée, sa naissance est le fait d'un libre choix; parfois même il ne naît pas, mais adopte le corps de quelqu'un d'autre.

Tout ce que nous faisons est le résultat d'une action. La pensée est une force très réelle. Tel vous pensez, tel vous êtes. Ainsi, si vos pensées sont pures vous devenez pur, si vous avez des pensées concupiscentes vous devenez luxurieux et contaminé et vous devrez revenir sur terre à plusieurs reprises, jusqu'à ce que le désir meure en vous sous les assauts de la pureté et des bonnes pensées.

Nulle personne n'est détruite, nul n'est jamais si mauvais qu'il soit condamné au châtiment éternel. Ce châtiment éternel est une invention des prêtres de jadis qui avaient besoin de discipliner des brebis souvent bien rebelles. Le Christ n'a jamais enseigné la souffrance, la damnation éternelles. Le Christ répétait que si une personne se repentait et faisait des efforts, alors cette personne serait sauvée de sa propre folie, et elle aurait une nouvelle chance de se racheter, et encore une autre.

Le karma, donc, est le processus par lequel nous contractons des dettes et nous les remboursons. Si vous allez dans un magasin et que vous passez une commande de certaines marchandises, alors vous contractez certaines dettes qui doivent être payées en bel et bon argent. Jusqu'à ce que vous ayez réglé la facture, vous êtes débiteur, et, si vous ne payez pas la marchandise, vous risquez dans certains pays d'aller en prison. L'homme, la femme, l'enfant doivent tout payer sur terre; seul l'Avatar est exempt des lois du karma. Par conséquent, ceux qui ne sont pas des Avatars feraient bien de se surveiller et de mener une vie bonne afin d'écourter leur séjour sur cette terre car il y a des possibilités de vie bien meilleures sur d'autres planètes et sur d'autres niveaux d'existence.

Nous devons pardonner à ceux qui nous font du tort, et nous devons chercher le pardon de ceux à qui nous avons fait du mal. Nous devons toujours nous répéter que le moyen le plus sûr d'atteindre un bon karma est de faire aux autres ce que l'on voudrait qu'ils nous fissent.

Bien peu d'entre nous échappent au karma. Nous contractons une dette, nous devons la payer, nous faisons du bien aux autres, ils doivent nous rendre ce bien. Il vaut beaucoup mieux recevoir du bien, alors efforçons-nous d'avoir de la compassion et de la bonté pour toutes les créatures, quelle que soit leur espèce, en nous rappelant que, aux yeux de Dieu, tous les hommes sont égaux, et aux yeux du Grand Dieu toutes les créatures sont égales, qu'elles soient chats, chiens ou chevaux... ou hommes!

Les voies du Seigneur, dit-on, sont impénétrables. Il ne nous appartient, pas de mettre en question les voies de Dieu, mais de résoudre les problèmes qui nous sont soumis, car c'est seulement en essayant sincèrement de les résoudre de façon satisfaisante pour tous que nous pourrons rembourser le karma. Certaines personnes doivent s'occuper d'un parent malade, vivre chez lui peut-être, et elles pensent : « C'est trop injuste! Pourquoi ne meurt-il pas, il ne souffrirait plus! » Elles ne se doutent pas que l'un et l'autre vivent leur cycle de vie. La personne qui soigne le malade est peut-être venue sur terre pour cela.

Nous devrions à tout moment faire preuve de compassion et de compréhension envers les malades ou les affligés, car il se peut que ce soit justement là notre mission sur cette terre. Il est trop facile d'écarter d'un geste impatient une personne ennuyeuse ou irritante, mais les malades sont généralement hypersensibles, ils souffrent de leurs faiblesses, ils sentent très bien qu'ils gênent. Nous voudrions vous rappeler encore une fois que, dans l'état actuel des choses sur terre, toute personne réellement occulte, toute personne versée dans les grands arts occultes, souffre d'une infirmité quelconque. Ainsi, en méprisant grossièrement un malade, en faisant la sourde oreille à ses appels au secours, nous risquons de faire grand tort à une personne bien plus douée que nous ne l'imaginons.

Personnellement, nous ne nous intéressons pas au football, ni à aucun sport violent, mais nous aimerions vous poser une question. Avez-vous jamais entendu dire d'un sportif musclé qu'il était clairvoyant ? Ou même qu'il connaissait ce mot ? Une certaine infirmité physique sert bien souvent de procédé de raffinage du corps humain grossier pour lui permettre de recevoir des vibrations de plus hautes fréquences que n'en captent le commun des mortels. Alors, ayons de la considération pour les malades. Ne nous impatientons pas, car ce malade a bien des problèmes que vous ignorez sans doute. Et puis soyons un peu égoïstes aussi ! Le malade peut être beaucoup plus évolué que vous qui êtes en excellente santé, et, aidant ce malade, vous pouvez vous aider considérablement !

VINGT-TROISIÈME LEÇON

Vous est-il jamais arrivé de voir disparaître subitement un être tendrement aimé ? Avez-vous eu l'impression que le soleil se cachait derrière les nuages, qu'il ne brillerait plus jamais pour vous ? La perte d'un être cher est éminemment tragique, pour vous et pour celui qui est « parti » si vous le pleurez exagérément...

Dans cette leçon, nous allons aborder des sujets que l'on considère généralement comme tristes, sinistres, sombres. Mais si nous voyons les choses comme elles sont, nous devrions comprendre que la mort n'est pas triste, qu'elle n'exige pas le deuil et les lamentations.

Voyons d'abord ce qui se passe lorsque nous apprenons qu'un être aimé est passé à ce stade que les peuples de la Terre appellent la « mort ».

Vous alliez et veniez, vous vaquiez à vos occupations, vous n'aviez aucun souci. Et puis soudain vous apprenez que cette personne tendrement aimée n'est plus parmi nous. Aussitôt, vous sentez votre cœur battre, vous sentez vos glandes lacrymales s'apprêter à verser des larmes qui délivrent des tensions internes. Vous découvrez que vous ne voyez plus les couleurs éclatantes, que tout est sombre comme si le ciel ensoleillé de l'été avait été subitement couvert de nuages de neige.

Nous allons retrouver alors nos vieux amis les électrons, car lorsque nous sommes subitement accablés de chagrin, le voltage engendré par notre cerveau se modifie, il peut même changer la direction du courant si bien que si, avant, nous pensions voir la « vie en rose », la triste nouvelle nous montre tout en noir. Sur le plan terrestre, c'est simplement une fonction physiologique normale, mais sur le plan astral nous sommes déprimés aussi à cause de l'horrible entrave provoquée par notre corps physique lorsque nous essayons d'accueillir celui qui vient de s'élever dans ce qui est, après tout, la Grande Vie, la vie la plus heureuse.

Il est bien triste, en effet, de voir un ami cher partir vers un pays lointain, mais sur la Terre nous nous consolons en nous disant que nous pouvons écrire, télégraphier et même téléphoner. Mais ce qu'on appelle la « mort » ne permet plus aucune communication. Vous pensez sans doute, vous, que les « morts » sont hors de notre atteinte ? Comme vous vous trompez ! Nous sommes en mesure de vous révéler qu'il y a actuellement des savants, dans divers centres scientifiques du monde, qui travaillent à mettre au point un instrument qui nous permettra de communiquer avec ce que nous appellerons, faute de mieux, des « esprits désincarnés ». Ce n'est pas un rêve, ce n'est pas une fable, c'est une information qui a commencé à s'ébruiter il y a bon nombre d'années déjà et, selon les rapports scientifiques les plus récents, il est permis d'espérer que la nouvelle sera bientôt rendue publique, et l'instrument mis à la disposition de tous. Mais avant de pouvoir entrer en contact avec ceux qui sont passés dans l'au-delà, hors de notre atteinte, nous pouvons les aider de notre mieux.

Quand une personne meurt, les fonctions physiologiques, c'est-à-dire celles qui président au fonctionnement du corps physique, se ralentissent et finissent par s'arrêter. Nous avons vu, dans les premières leçons de ce cours, que le cerveau humain peut vivre quelques minutes à peine après avoir été privé d'oxygène. Le cerveau est donc une des premières parties du corps à « mourir ». Manifestement, lorsque le cerveau cesse de fonctionner, la mort suit à brève échéance, elle est inévitable.

Après la mort du cerveau, les autres organes privés des commandes et des directives du cerveau cessent à leur tour de fonctionner, ils deviennent semblables à une voiture abandonnée par son conducteur. Il a garé son véhicule et coupé le contact. Le moteur tourne peut-être une fraction de seconde sur son élan mais aussitôt il refroidit. En refroidissant, il émettra de petits grincements, des cliquetis provoqués par le métal qui se contracte. Il en est de même pour le corps humain; tandis qu'un organe après l'autre passe au stade que nous appelons dissolution, il se produit des grognements, des grincements, de petits sursauts des muscles. Au bout de trois jours environ, le corps astral aura enfin définitivement quitté le corps physique. La corde d'argent qui ancre en quelque sorte l'astral dans le physique se flétrit, se dessèche tout comme le cordon ombilical d'un bébé après qu'on l'a coupé pour séparer l'enfant de la mère. Pendant trois jours, le corps astral reste plus ou moins en contact avec le corps physique qui se décompose déjà.

Voici probablement ce qu'éprouve là personne qui vient de mourir :

D'abord la personne est dans son lit, entourée probablement de parents et d'amis affligés. Soudain elle tressaille, il y a un râle, le dernier soupir est exhalé entre les dents. Le cœur bat un instant, ralentit, s'arrête, repart et finalement cesse définitivement de battre.

Divers frémissements parcourent le corps, puis il se refroidit, mais à l'instant même de la mort un clairvoyant peut voir une ombre émerger du véhicule physique et flotter comme une brume argentée pour venir s'allonger juste au-dessus du mort. Durant les trois jours qui suivent, la corde d'argent reliant les deux corps s'assombrit, puis elle devient noire à l'endroit où elle pénètre dans le corps physique. On a alors l'impression de voir une poussière noire autour de cette partie de la corde. Enfin, elle se détache et la forme astrale est libre de s'élever pour naître à sa vie dans l'astral. Mais avant tout, elle doit contempler ce corps qu'elle habitait. Souvent, la forme astrale accompagne le corbillard au cimetière et assiste à l'enterrement. Elle n'éprouvera aucune peine, elle ne sera pas bouleversée parce que l'astral, dans le cas d'une personne qui n'y serait pas préparée et ignorerait ce qu'enseigne ce cours, est un état de choc. Le corps astral suivra donc le cercueil un peu comme le cerf-volant suit le petit garçon qui tient la ficelle. Mais bientôt la ficelle casse, la corde d'argent — qui n'est plus argentée — retombe et le corps astral est enfin libre de monter, de s'élever et de se préparer à sa seconde mort. Cette seconde mort est sans douleur, absolument sans douleur.

Avant la seconde mort, la personne doit se rendre à la Salle de Mémoire et voir tout ce qui lui est arrivé dans la vie. On n'est jugé que par soi-même, et il n'y a pas de juge plus sévère. Lorsqu'on se voit dépouillé de toutes les petites vanités mesquines, de toutes les fausses valeurs qui nous étaient chères sur la Terre, on s'aperçoit souvent que, en dépit de tout l'argent que l'on a laissé derrière soi, en dépit des titres et des hautes situations, on n'est pas si grand que cela, après tout. Très, très souvent, le plus humble, le plus pauvre d'argent se juge beaucoup plus favorablement.

Après vous être vu dans la Salle de Mémoire, vous passez dans cette partie de l'« autre monde » qui semble le mieux vous convenir. Vous n'allez pas en enfer, croyez-nous quand nous vous disons que l'enfer est sur terre, que c'est notre école!

Vous savez sans doute que, en Orient, les grands mystiques, les grands maîtres dissimulent leur véritable nom, parce que les noms ont un grand pouvoir, et si n'importe qui pouvait émettre les vibrations exactes de ce nom, l'être serait irrésistiblement attiré, et contraint de regarder sur la Terre. Dans certaines régions d'Orient, et même en Occident, Dieu est appelé « Celui dont le nom ne doit pas être prononcé », parce que si tout le monde se mettait à appeler Dieu, le Seigneur de ce monde ne saurait vraiment plus où donner de la tête!

Bien des maîtres adoptent un pseudonyme, un nom dont la prononciation diffère radicalement de celle de leur véritable nom, car les noms, les mots, ne l'oubliez pas, sont formés de vibrations, d'harmonies et si l'on est appelé par sa propre combinaison harmonique de vibrations, alors on est distrait du travail que l'on peut faire à ce moment.

Si l'on pleure trop ceux qui sont passés dans l'audelà, on leur cause des souffrances, car ils se sentent attirés de force vers la Terre. Ils sont comme un homme qui tombe à l'eau tout habillé et qui se sent entraîné au fond par ses vêtements alourdis et ses chaussures.

Considérons encore cette question des vibrations, car elles sont l'essence de la vie sur terre, et en fait sur n'importe quel autre monde. Nous connaissons tous un exemple très simple du pouvoir des vibrations. Des soldats qui marchent au pas rompent la cadence quand ils doivent franchir un pont. Le pont est peut-être capable de supporter les plus lourds convois motorisés, une caravane de chars d'assaut et même peut-être des trains. Mais si un régiment passe au pas cadencé il déclenchera une série de vibrations et le pont frémira, s'écroulera peut-être.

Le violoniste nous fournit un autre exemple; il peut, en jouant la même note pendant quelques secondes, provoquer dans un verre de cristal des vibrations qui le feront exploser.

Considérons maintenant l'Om. Si nous pouvons prononcer les mots « Om Mani Padmi Um » d'une certaine façon et les répéter pendant quelques minutes, nous pourrons déclencher une vibration d'une force fantastique. Alors rappelez-vous que les noms possèdent une grande puissance, et ceux qui sont passés dans l'au-delà ne doivent pas être appelés à tort et à travers; leur nom ne doit pas être prononcé dans la douleur, car de quel droit les ferions-nous souffrir par notre chagrin ? Ils ont déjà suffisamment souffert !

Nous pouvons nous demander pourquoi nous venons sur cette terre si c'est pour y mourir, mais la raison est simple; la mort nous élève, la souffrance nous élève à condition qu'elle ne soit pas trop vive, et il est bon de se rappeler que, dans la majorité des cas (car il y a certaines exceptions, naturellement), aucun être n'a jamais à subir une plus grande souffrance que n'en exige son amélioration spirituelle. Vous le comprendrez mieux si vous pensez à une femme qui s'évanouit de douleur. La syncope est simplement une soupape de sûreté qui l'empêche d'être trop accablée par son chagrin.

Il arrive souvent qu'un grand chagrin engourdisse les sens. Là encore, cet engourdissement est un bienfait, tant pour celui qui reste que pour celui qui est parti. Cet engourdissement permet cependant d'avoir conscience de la perte tragique et de s'élever mais non d'être torturé par le chagrin.

La personne qui est passée dans l'au-delà est protégée par l'engourdissement de celui qui reste car sans cela les cris et les lamentations de celui qui est en pleine possession de ses facultés causeraient d'intolérables souffrances à l'âme envolée.

Avec le temps, il se peut que nous parvenions à communiquer avec ceux qui nous ont quittés tout comme on peut téléphoner à des amis lointains.

En étudiant consciencieusement ce cours, en ayant confiance en soi, en ayant la foi dans les Grands Pouvoirs de cette vie et de l'autre, nous devrions pouvoir entrer en contact avec ceux qui sont partis. Il est possible de communiquer par télépathie, par la clairvoyance, par ce que l'on appelle l'« écriture automatique ». Dans ce dernier cas, cependant, on doit se méfier de son imagination, on doit la contrôler afin que le message écrit subconsciemment n'émane pas de notre conscient ni de notre propre subconscient, mais bien directement de la personne qui est partie dans l'au-delà et qui nous voit, bien que pour le moment elle nous reste invisible.

Réjouissez-vous, ayez la foi, car par la foi vous pourrez accomplir des miracles. N'est-il pas écrit que la foi peut transporter des montagnes ? C'est parfaitement exact !

VINGT-QUATRIÈME LEÇON

Nous allons établir maintenant ce que nous appellerons les « Règles de la Bonne vie ». Ce sont des règles fondamentales, absolument indispensables. Vous y ajouterez vos propres directives, vos propres règles de conduite, mais avant tout nous allons vous les donner, et puis nous les étudierons avec soin, afin que vous puissiez en comprendre les raisons. Les voici donc :

1. Faites aux autres ce que vous voudriez qu'on vous fît.
2. Ne jugez pas votre prochain.
3. Soyez ponctuel dans tout ce que vous faites.
4. Ne discutez pas de religion et ne vous moquez pas des croyances des autres.
5. Observez fidèlement votre propre religion et faites preuve de la plus parfaite tolérance pour les religions des autres.
6. Abstenez-vous de vous mêler de « magie ».
7. Soyez abstinent, ne prenez ni alcool ni drogues.

Maintenant, nous allons examiner plus attentivement ces règles.

Nous avons dit : « Faites aux autres ce que vous voudriez qu'on vous fît. » Cela paraît assez simple, parce que, si vous êtes en possession de vos facultés normales, il ne vous viendrait pas à l'idée de vous poignarder dans le dos, de vous voler ou de vous escroquer. Si vous êtes une personne normale, vous aimez prendre soin de vous-même de votre mieux. Vous vivrez selon la « Règle d'or » si vous veillez sur votre prochain comme sur vous-même. Autrement dit, agissez comme vous voudriez que l'on agisse avec vous. Cela aide, cela marche. Tendre l'autre joue, c'est de bonne politique avec des gens normaux. Si une personne ne peut accepter la pureté de vos pensées et de vos intentions, alors, après avoir souffert en silence deux fois, trois fois au plus, vous serez bien avisé de vous écarter de cette personne. Dans le monde de l'au-delà nous ne pouvons absolument pas rencontrer nos adversaires, ceux avec qui nous n'étions pas en harmonie, Malheureusement, pendant notre séjour sur terre nous sommes contraints de rencontrer et de fréquenter des gens assez horribles mais nous ne devons jamais le faire par choix; uniquement par nécessité. Alors faites ce que vous voudriez qu'on vous fît, et votre personnalité s'élèvera, vous serez comme un phare lumineux pour tous les hommes. Vous serez considéré comme un homme ou une femme de bien, comme une personne qui tient ses promesses, si bien que, si jamais vous êtes volé, le voleur ne bénéficie d'aucune sympathie. Et dans ce cas précis, il est bon de toujours se rappeler que le plus grand voleur ne peut emporter avec lui un seul centime quand il quittera cette vie!

Nous vous disons aussi : « Ne jugez pas votre prochain. » Vous pouvez un jour vous trouver dans la même situation que la personne que vous avez jugée ou condamnée. Vous connaissez vos propres affaires et tout ce qui s'y rapporte, mais personne d'autre ne les connaît, pas même la personne qui vous est la plus proche et la plus chère ne peut partager ni connaître les pensées de votre âme. Personne, sur cette terre du moins, ne peut être en totale harmonie avec une autre personne. Peut-être êtes-vous marié, peut-être êtes-vous parfaitement heureux avec votre conjoint mais alors, même dans les unions les plus heureuses, il arrivera que le conjoint fera quelque chose qui paraîtra parfaitement incompréhensible à l'autre. Bien souvent, il est même impossible d'expliquer ses propres mobiles.

« Que celui qui n'a jamais péché lance la première pierre. » « Les gens qui habitent des maisons de verre ne doivent pas jeter des pierres. » Ces vieux dictons sont pleins d'enseignement car personne n'est complètement innocent. Si un être était complètement pur, totalement innocent, il ne pourrait pas demeurer sur notre méchante vieille terre; aussi, en disant que celui qui n'a jamais péché doit lancer la première pierre, cela signifie qu'il n'y a personne pour en jeter.

Pour parler franc, la Terre est un beau gâchis. Les êtres y viennent pour s'instruire; s'ils n'avaient rien à apprendre ils n'y viendraient pas, ils iraient ailleurs, en de bien meilleurs lieux. Nous commettons tous des fautes; nombreux sont ceux qui sont condamnés à tort, nombreux sont ceux dont on ne reconnaît pas les bienfaits. Est-ce vraiment important? Plus tard, quand nous quitterons cette terre, quand nous sortirons de l'école, nous découvrirons que les valeurs sont bien différentes et elles ne se compteront pas en dollars, en francs ou en roupies. Les valeurs? Nous serons jugés sur notre véritable valeur, aussi ne jugeons pas les autres!

Notre troisième règle, « Soyez ponctuel dans tout ce que vous faites », vous a sans doute surpris, mais elle est logique. On prend des dispositions, on fait des projets, et il y a temps pour tout. En n'étant pas ponctuels, nous risquons de bouleverser les projets ou les idées d'une autre personne; en n'étant pas ponctuels, nous risquons de provoquer le ressentiment de la personne que nous aurons fait attendre trop longtemps et dans ce cas elle pourrait bien changer d'attitude envers nous, prendre d'autres dispositions que celles que nous avions prévues ensemble. Cela signifie que, en n'étant pas ponctuels, nous avons forcé une autre personne à suivre une voie qu'elle n'avait pas prévue ni choisie, et nous en sommes responsables.

La ponctualité peut devenir une habitude, tout comme le retard, mais la ponctualité est une discipline du corps, de l'esprit et de l'âme alors que le retard n'est que désordre. La ponctualité démontre le respect de soi, parce que cela signifie qu'on est capable de tenir parole, et on fait également preuve de respect pour les autres parce que, en étant ponctuels, nous les respectons. La ponctualité est donc une vertu qui mérite bien d'être cultivée. Et toute vertu accroît notre valeur mentale et spirituelle.

Venons-en à la religion; c'est affreux, en effet, de se moquer de la religion d'une autre personne. Vous croyez ceci, l'autre cela. Le nom ou l'apparence que vous donnez à Dieu importent-ils ? Dieu est Dieu, quel que soit le nom que vous lui donniez. Allez-vous discuter des deux faces d'une médaille ? Malheureusement, au cours de l'histoire de l'humanité, trop de mauvaises pensées ont été provoquées par la religion... la religion qui ne devrait inspirer que de bonnes pensées.

Nous répétons dans une certaine mesure ce précepte concernant la religion dans la règle 5, quand nous disons que chacun doit observer sa propre religion. Il est rarement bon d'en changer. Pendant notre séjour sur terre, nous sommes au milieu de la rivière, au milieu du cours de la vie, et il n'est jamais sage de changer de cheval au milieu de la rivière!

La plupart d'entre nous sommes venus sur cette terre avec certain projet en tête. Pour la majorité, cela suppose la croyance en une certaine religion ou une certaine forme de religion, et si l'on n'a pas les raisons les plus fortes, en changer est une grave erreur.

On assimile sa religion comme on assimile son langage, quand on est petit. Tout comme il est difficile d'apprendre une autre langue lorsqu'on vieillit, il est plus difficile d'assimiler et de comprendre les nuances d'une religion différente.

Il est très mauvais, aussi, d'influencer une autre personne pour la faire changer de religion. Ce qui est bon pour vous ne l'est pas nécessairement pour une autre personne. Rappelez-vous la règle 2, et ne jugez pas votre prochain. Vous ne pouvez savoir quelle religion convient à telle personne, à moins de vous mettre dans sa peau, de pénétrer son esprit, d'entrer dans son âme. Comme vous ne le pouvez pas, c'est une grave erreur que de se mêler des croyances d'une autre personne, d'affaiblir sa foi, peut-être, en la méprisant. Tout comme nous voudrions qu'on nous traitât, nous devons être tolérants, accorder la liberté entière aux autres et les laisser croire et adorer ce qu'ils jugent bon. Nous serions irrités si l'on essayait de nous convertir de force à une autre religion, alors comprenons que l'autre personne pourrait avoir aussi du ressentiment.

« Abstenez-vous de vous mêler de magie. » La règle 6 nous invite ainsi à la prudence, parce que beaucoup de formes de « magie » sont maléfiques. Il y a énormément de choses, dans l'occultisme, qui peuvent causer grand mal si on les étudie sans être guidé.

Il ne viendrait jamais à un astronome l'idée de regarder le soleil au moyen d'un puissant télescope sans avoir pris d'élémentaires précautions, sans avoir placé des filtres sur la lentille. Le plus mauvais astronome sait que, en regardant le soleil en face, il risque la cécité. De même, se mêler d'occultisme sans entraînement adéquat, sans guide, risque d'aboutir à la dépression nerveuse, de provoquer une foule de symptômes extrêmement déplaisants.

Nous déconseillons formellement la pratique du yoga; c'est de la folie que d'essayer de torturer un malheureux corps occidental en lui faisant prendre certaines de ces positions. Ces exercices sont destinés au corps oriental qui a appris ces positions dès l'âge le plus tendre, et cela risque de faire le plus grand mal de se contorsionner stupidement, simplement parce que le yoga est à la mode. Étudions l'occultisme, certes, mais étudions cette science avec raison, et en nous faisant guider.

Nous vous déconseillons d'essayer de « communiquer avec les morts » ou de vous livrer à ce genre de pratiques étranges. Cela peut se faire, bien sûr, et cela se fait tous les jours, mais si l'on ne s'y livre pas sous l'autorité compétente d'une personne bien entraînée, on risque de faire beaucoup de mal, à soi-même comme à la personne disparue.

Certaines personnes, quand elles achètent leur journal, se précipitent sur l'horoscope pour savoir ce que la journée leur réserve! Hélas, nombreux sont ceux qui prennent ces prédictions le plus sérieusement du monde, et se laissent influencer. Un horoscope est une chose aussi dangereuse qu'inutile s'il n'a pas été calculé suivant l'heure, la date et le lieu de naissance par un astrologue compétent, et son prix est alors extrêmement élevé, car un tel horoscope exige des connaissances considérables, de longues études et des calculs interminables. Il ne suffit pas de dire que nous sommes nés tel jour sous le signe du Lion ou du Sagittaire, il faut connaître la configuration du ciel à la date et à l'heure précises de la naissance, et puis il faut savoir comment exécuter les calculs nécessaires. Alors, si vous ne connaissez pas un astrologue compétent, qui a de la patience et du temps à vous consacrer, et si vous n'avez pas beaucoup d'argent pour payer ce temps passé et ces connaissances, nous vous conseillons d'oublier l'astrologie. Elle peut vous faire du mal. Étudiez plutôt ce qui est pur et innocent, par exemple, si vous nous pardonnez notre manque de modestie, ce cours, ces leçons qui ne sont après tout que l'explication de lois naturelles, qui concernent aussi bien la respiration que la marche.

Notre dernière règle est : « Soyez abstinent, ne prenez ni alcool ni drogues. » Ma foi, nous en avons dit assez, dans ce cours, pour que vous compreniez les dangers que vous encourrez en faisant quitter vaille que vaille votre corps physique par votre corps astral !

Les boissons alcoolisées et les drogues blessent l'âme, elles déforment les impressions transmises par la corde d'argent, elles brouillent le mécanisme du cerveau qui, nous le rappelons, n'est qu'un émetteur-récepteur chargé des manipulations du corps sur la terre et de la réception des connaissances dans le monde de l'au-delà.

La drogue est pire encore, car elle intoxique bien davantage. Si l'on se drogue, alors on abandonne tout ce à quoi on aspire sur cette terre, dans cette vie, et en s'adonnant aux faux plaisirs, aux « paradis artificiels » de l'alcool et des drogues, on peut fort bien payer la voie du retour perpétuel sur terre, jusqu'à ce que l'on ait complètement détruit le karma provoqué par cette intoxication stupide.

Toute vie doit être ordonnée, toute vie doit être disciplinée. Une croyance religieuse, si on l'observe fidèlement, est une excellente forme de discipline spirituelle. De nos jours, hélas, on voit dans toutes les villes du monde des « gangs » d'adolescents. Durant la dernière guerre mondiale, des foyers ont été détruits, les liens familiaux se sont affaiblis, les femmes travaillent maintenant, et souvent les enfants jouent dans les rues sans surveillance; ils se sont groupés, ils ont formé des bandes, ils ont créé leur propre forme de discipline, la discipline des voyous. Nous croyons fermement que, tant que la discipline de l'amour des parents et celle de la religion n'auront pas repris le dessus, la vague de crimes d'adolescents ne fera que croître et enlaidir. Si nous avons nous-mêmes une discipline mentale, nous pouvons donner l'exemple à ceux qui n'en ont pas car, répétez-le bien, la discipline est essentielle. C'est la discipline qui distingue l'armée forte de la racaille désorganisée.

VINGT-CINQUIÈME LEÇON

Nous allons maintenant examiner de près notre vieil ami le subconscient, parce que les rapports entre l'esprit conscient et le subconscient permettent d'expliquer l'hypnotisme.

Nous sommes en réalité deux êtres en un. La première de ces entités est une petite personne qui représente seulement un neuvième du tout, une petite personne active qui aime se mêler de tout, qui aime contrôler et régimenter. La seconde entité, le subconscient, peut être assimilée à un aimable géant incapable de raisonner, car si le conscient est doué de raison et de logique mais non de mémoire, le subconscient illogique est le piège de la mémoire. Tous les événements de l'existence, même ceux qui sont arrivés avant la naissance, sont enregistrés et conservés par le subconscient, et, sous certaines formes d'hypnose, ces souvenirs peuvent être extirpés afin d'être examinés par d'autres.

On pourrait dire, à titre d'exemple, que le corps représente dans son ensemble une immense bibliothèque. A l'entrée, nous avons une bibliothécaire. Sa vertu principale est de savoir, même si elle ne connaît pas les sujets des ouvrages, où trouver immédiatement le ou les livres contenant les renseignements demandés. Elle sait fort bien consulter ses fiches et apporter le livre concernant le sujet désiré. L'homme est ainsi. L'esprit conscient est doué de raison (et peut aussi raisonner à faux!) et il est capable d'une certaine forme de logique, mais il n'a aucune mémoire. En revanche, il peut stimuler le subconscient afin que ce dernier lui apporte les renseignements classés dans ses cellules de la mémoire. Entre le conscient et le subconscient se dresse ce que l'on pourrait appeler un écran, qui bloque les renseignements apportés au conscient. Cela signifie que l'esprit conscient ne peut farfouiller à son gré dans le subconscient, ce qui est fort heureux parce que l'un risquerait de contaminer l'autre. Nous avons dit que le subconscient possède la mémoire mais n'est pas doué de raison. Il est évident que, si la mémoire s'associait à la raison, certaines facettes d'information seraient déformées, car le subconscient, s'il était capable de raisonner, pourrait, si j'ose dire, hausser les épaules et grogner : « C'est grotesque! C'est impossible! Je n'ai pas dû comprendre les faits, il faut que je modifie et que je range un peu les fichiers de ma mémoire. » C'est pour éviter cela que le subconscient n'a pas de raison, et le conscient pas de mémoire.

Nous devons nous rappeler deux règles :

1. L'esprit subconscient n'a pas de raison, par conséquent il ne peut que réagir aux suggestions qu'on lui donne. Il ne peut que conserver en mémoire tout ce qu'il entend ou voit, que ce soit vrai ou faux, car il est incapable de décider de la véracité ou de la fausseté de cette information.

2. L'esprit conscient ne peut se concentrer que sur une seule idée à la fois. A tout instant, nous

recevons des impressions, nous formons des opinions, nous voyons des choses, nous en entendons, nous en touchons, et, si le subconscient n'était pas protégé, il enregistrerait tout sans discernement et notre mémoire serait envahie d'informations futiles, inutiles et souvent erronées. L'écran qui sépare le conscient du subconscient sert donc de tamis, ne laissant filtrer que les questions qui ont été considérées par le conscient, pour les faire passer au subconscient qui les enregistre et les classe. L'esprit conscient, étant capable de ne considérer qu'une pensée, qu'une question à la fois, choisit celle qui lui paraît la plus importante, l'examine, l'accepte ou la rejette selon ce que lui dicte la raison et la logique.

Vous allez sans doute protester, dire que ce n'est pas vrai car vous êtes fort capable de penser à plusieurs choses à la fois. C'est là que vous vous trompez. La pensée est extrêmement rapide, et il est avéré que la pensée peut changer en un éclair et plus vite encore, alors si vous croyez consciemment penser à deux ou trois choses à la fois, des savants auront tôt fait de vous prouver qu'une seule pensée a pu accaparer votre attention à un moment donné.

Il est bon de préciser encore, comme nous l'avons déjà dit, que les fichiers de mémoire, dans le subconscient, contiennent des souvenirs de tout ce qui est arrivé au corps. Le seuil ou écran du conscient n'empêche pas l'entrée de ces informations dans le subconscient mais celles qui doivent être scrutées par le cerveau logique et raisonnant sont gardées jusqu'à ce qu'elles aient été évaluées.

Voyons maintenant comment marche l'hypnotisme.

L'esprit subconscient n'a aucun pouvoir de discrimination, aucun pouvoir de raisonnement ni de logique, mais si nous parvenons à faire passer de force une suggestion par l'écran qui existe normalement entre le conscient et le subconscient, nous pouvons contraindre ce dernier à se comporter comme nous le désirons. Si nous concentrons notre attention consciente sur une seule pensée, nous accroissons le pouvoir de suggestion. Si nous communiquons à une personne la pensée qu'elle va être hypnotisée, elle croira qu'elle le sera, parce que, à ce moment, l'écran sera écarté. Beaucoup de gens affirment avec fierté qu'on ne peut pas les hypnotiser mais ils s'en vantent trop. En niant leur prédisposition à l'hypnotisme, ils ne font que l'augmenter et la renforcer parce que, encore une fois, dans une lutte entre la volonté et l'imagination, c'est toujours cette dernière qui remporte la victoire. Certains feront un effort de volonté, pour ne pas se laisser hypnotiser. Alors il se produit ceci : l'imagination s'irrite et dit en somme : « Tu vas un peu voir si tu ne te laisseras pas hypnotiser ! » Sur quoi le sujet succombe avant de savoir ce qui lui arrive.

Vous savez naturellement comment on est hypnotisé mais cela ne vous fera pas de mal de rappeler les faits. Avant tout, il faut avoir un moyen de retenir l'attention d'une personne afin que l'esprit conscient, qui ne peut aborder qu'une question à la fois, soit captivé; alors les suggestions peuvent s'insinuer dans le subconscient.

En général, l'hypnotiseur a un bouton brillant, un morceau de cristal ou tout autre objet, et il demande à son sujet de concentrer son attention, consciemment, sur cet objet brillant. Il s'agit, nous le répétons, d'absorber l'esprit conscient afin qu'il ne s'aperçoive pas qu'il se passe des choses derrière son dos !

L'hypnotiseur tient cet objet à la hauteur du front de son sujet, qui doit alors lever les yeux, ce qui provoque une certaine tension. Les muscles oculaires et les paupières se crispent pour garder cette position anormale; or, ces muscles sont les plus faibles du corps humain, et se fatiguent beaucoup plus vite que les autres.

Au bout de quelques secondes, l'œil se fatigue et commence à larmoyer. C'est alors tout simple, pour l'hypnotiseur, de déclarer que les yeux sont fatigués et que la personne a sommeil. Il est évident que le sujet ne demande qu'à fermer les yeux parce que l'hypnotiseur a pris soin de fatiguer les muscles oculaires. La monotonie de la voix qui répète que les yeux sont fatigués finit par assommer le sujet et lui fait abaisser sa garde subconsciente. Il commence à en avoir assez de toute cette histoire qui le fait bâiller et l'ennuie et il serait enchanté de pouvoir dormir pour échapper à cet ennui.

Quand cet exercice aura été répété plusieurs fois, la faculté de suggestion du sujet aura augmenté, c'est-à-dire qu'il aura pris l'habitude de se laisser influencer par l'hypnotisme. Alors quand l'hypnotiseur lui dit que ses yeux sont fatigués et qu'il a sommeil, le sujet accepte cela sans hésitation parce que les précédentes expériences lui ont prouvé que, en effet, ses yeux se fatiguaient dans ces conditions. Ainsi, le sujet croit de plus en plus aux déclarations de l'hypnotiseur.

L'esprit subconscient est totalement dépourvu de sens critique, il ne peut discriminer, alors si l'esprit conscient accepte le fait que ses yeux sont fatigués parce que l'hypnotiseur le lui dit, le subconscient n'élève aucune objection, pas plus qu'il n'en élèvera quand l'hypnotiseur lui affirmera qu'il ne ressent aucune douleur. Dans ce cas, l'hypnotiseur, qui connaît son métier, peut provoquer chez une femme un accouchement parfaitement indolore, et même persuader un homme qu'on peut lui arracher une dent sans qu'il éprouve la moindre sensation. C'est fort simple, il suffit de s'entraîner, il suffit d'un peu de pratique.

Pour nous résumer, le sujet à hypnotiser a été amené à croire sur parole tout ce que lui dit l'hypnotiseur. Il apprend que ses yeux sont fatigués. Sa propre expérience lui prouve que ses yeux sont fatigués. L'hypnotiseur lui a dit qu'il se sentirait beaucoup mieux s'il fermait les yeux, et, quand il les a fermés, il s'est aperçu, qu'en effet, il se sentait plus à l'aise.

L'hypnotiseur doit toujours s'assurer que ses déclarations sont parfaitement acceptées par son sujet, qu'il est cru sur parole. Il est totalement inutile de dire à une personne qu'elle est debout alors qu'elle est manifestement couchée. La plupart des hypnotiseurs déclarent une chose après qu'elle a été prouvée.

Par exemple, il peut dire à son sujet d'étendre le bras. Il répétera cet ordre plusieurs fois d'une voix monotone, et puis, dès qu'il verra que le bras a tendance à s'abaisser, il dira : « Votre bras est fatigué, votre bras vous semble lourd, votre bras est fatigué. » Le sujet le croira immédiatement, parce que son bras lui paraît effectivement lourd, mais, dans son état de transe, il est incapable de répliquer à l'hypnotiseur : « Espèce d'imbécile, bien sûr que mon bras se fatigue, puisque je le tiens en l'air ! » Il croit simplement à un pouvoir quelconque de l'hynotiseur, un pouvoir qui le contraint à faire ce qu'on lui ordonne.

Il est certain que, dans un avenir pas tellement lointain, les médecins et les chirurgiens auront de plus en plus recours aux méthodes hypnotiques, parce qu'elles ne produisent pas de réactions pénibles. L'hypnotisme est naturel et presque tout le monde peut se soumettre à ses ordres. Et plus une personne affirme qu'elle ne peut être hypnotisée, plus il est facile de le faire.

Nous ne chercherons pas, cependant, à hypnotiser d'autres personnes parce que cela peut être extrêmement dangereux et maléfique. Nous avons abordé ce sujet pour vous aider à vous hypnotiser vous-même, parce que si vous y parvenez, vous pouvez vous débarrasser ainsi de mauvaises habitudes, vous pouvez guérir vos faiblesses, vous pouvez élever votre température par temps froid et faire beaucoup de choses utiles.

Nous n'allons pas vous apprendre comment hypnotiser les autres parce que nous estimons que c'est un procédé dangereux pour qui n'a pas des années d'expérience. Mais nous allons tout de même mentionner certains facteurs et, dans le leçon suivante, nous aborderons plus explicitement l'auto-hypnotisme.

Les Occidentaux s'imaginent que personne ne peut être instantanément hypnotisé. C'est faux. Toute personne peut être instantanément hypnotisée par quelqu'un qui a appris les méthodes orientales. Heureusement, peu d'Occidentaux les connaissent.

On croit aussi qu'aucune personne ne peut être hypnotisée et contrainte ainsi à commettre une action formellement opposée à son propre code moral. Encore une fois, c'est une erreur, c'est absolument faux.

Il est évident que l'on ne peut hypnotiser un homme honnête, parfaitement droit, en lui disant : « Allez commettre un hold-up dans une banque. » Le sujet se révoltera, et se réveillera aussitôt. Mais un hypnotiseur adroit peut fort bien formuler ses ordres d'une certaine façon, et faire croire au sujet qu'il s'agit d'un jeu, par exemple, ou d'une plaisanterie.

Il est possible pour un hypnotiseur de faire le plus grand tort à une personne. Il lui suffit, grâce à des mots et des suggestions bien choisis, de persuader le sujet qu'il se trouve en compagnie d'un être aimé, en qui il a confiance, ou encore qu'il s'agit d'un jeu. Mais nous n'allons pas nous étendre davantage sur cet aspect particulier de l'hypnotisme parce que, entre des mains profanes ou sans scrupule, c'est une expérience trop dangereuse. Nous vous conseillons de ne pas vous laisser hypnotiser, à moins que ce ne soit par une personne capable, de haute réputation et très expérimentée.

En ce qui concerne l'auto-hypnotisme vous ne pouvez vous faire aucun mal si vous suivez bien nos instructions, et vous ne pouvez blesser personne. Au contraire, vous pouvez leur faire le plus grand bien, ainsi qu'à vous-même.

VINGT-SIXIÈME LEÇON

Dans la leçon précédente, et même dans notre cours tout entier, nous avons vu comment nous sommes deux êtres en un, le subconscient et le conscient. Il est possible de faire travailler l'un pour l'autre, plutôt que de laisser les deux entités séparées, chacune de leur côté. L'entité subconsciente emmagasine la somme des connaissances, on pourrait dire qu'elle est la bibliothécaire de la mémoire, ou le gardien des dossiers. L'entité subconsciente peut être comparée à une personne qui ne sort jamais, qui ne fait jamais rien d'autre que d'emmagasiner des connaissances et de donner des ordres.

D'autre part, l'esprit conscient peut être comparé à un individu sans mémoire, et sans grande instruction. Il est très actif, nerveux, il saute d'un sujet à un autre et il ne se sert de son subconscient que comme un moyen d'obtenir des informations. Malheureusement, le subconscient n'est pas normalement accessible à toutes les formes de connaissance. La plupart des gens, par exemple, ne peuvent se rappeler leur naissance, et pourtant tous ces souvenirs sont classés dans leur subconscient. Il est même possible, grâce à certains moyens, de transporter une personne hypnotisée à l'époque qui a précédé sa naissance, et bien que ce soit là une expérience passionnante nous n'allons pas l'aborder trop longuement ici (1).

Nous vous dirons simplement qu'il est possible d'hypnotiser une personne, au cours d'une série de séances, et de transporter cette personne dans les diverses années de sa vie, jusqu'à la naissance et au-delà. Nous pouvons même la transporter dans le temps jusqu'au moment où elle envisageait de redescendre sur la terre!

Mais dans cette leçon, notre propos est d'étudier comment nous hypnotiser nous-mêmes. Tout le monde sait qu'une personne peut être hypnotisée par une autre, mais dans le cas présent, c'est nous que nous voulons hypnotiser car la plupart des gens répugnent à se placer pour ainsi dire à la merci d'un autre parce que, bien qu'en théorie un hypnotiseur pur, aux idées élevées, ne puisse faire de mal à son sujet, nous ne craignons pas de dire que, sauf dans des circonstances exceptionnelles, un certain transfert se produit.

Une personne qui a déjà été hypnotisée par une autre restera toujours soumise aux ordres hypnotiques de cette autre personne. C'est pour cette raison que nous déconseillons l'hypnose. Nous pensons que, avant qu'on puisse la mettre au point pour un usage médical, des précautions devront s'imposer, par exemple aucun médecin ne devra être autorisé à hypnotiser un malade s'il n'y a pas au moins un

*(1) Lire dans la même collection: A la recherche de Bridey Murphy, par Morey Bernstein, A 212**.*

consultant présent. Nous aimerions aussi qu'il existât une loi selon laquelle la personne qui hypnotise un sujet doive être elle-même hypnotisée afin d'implanter en elle de telles idées qui l'empêchent de faire le mal. Et nous voudrions que le médecin se fasse hypnotiser au moins tous les trois ans afin de renouveler cette sauvegarde pour son patient, sinon le malade serait réellement à la merci de son médecin. Nous sommes certains que le corps médical est dans l'ensemble parfaitement honorable, mais il se peut qu'il y ait parfois des brebis galeuses qui, dans ce genre de traitement, risqueraient d'être fort dangereuses.

Venons-en enfin à l'auto-hypnose. Si vous étudiez cette leçon avec soin, vous aurez une clef qui vous permettra de libérer des pouvoirs insoupçonnés et des facultés que vous possédez mais que vous ignorez. Si vous ne lisez pas cette leçon avec attention, elle ne sera pour vous qu'un charabia de mots sans suite, et vous aurez perdu votre temps.

Nous vous conseillons de vous enfermer dans votre chambre, de tirer les rideaux ou de fermer les volets, et d'avoir au-dessus de vos yeux une petite lumière, une veilleuse. Éteignez toutes les autres lampes, et installez-vous de façon à lever légèrement les yeux vers cette veilleuse.

Vous vous êtes allongé confortablement sur votre lit, et vous levez les yeux vers la petite lumière. Pendant quelques instants vous ne faites rien, vous respirez aussi paisiblement que possible et vous laissez errer vos pensées. Puis, au bout d'une minute ou deux, vous vous raisonnez et vous vous dites que vous allez vous détendre. Dites-vous que tous les muscles de votre corps vont se détendre. Pensez à vos orteils, pensez-y fortement; il est plus commode de se concentrer d'abord sur le gros orteil droit. Imaginez que votre corps est une grande ville, imaginez qu'un petit peuple occupe toutes les cellules de votre corps. Ce sont ces petits ouvriers qui font marcher vos muscles et vos tendons, qui subviennent aux besoins de vos cellules, et qui vous font vivre. Mais à présent vous voulez vous détendre, vous ne voulez pas être distrait par tous ces petits ouvriers, par une crispation de tel muscle, un frémissement de tel nerf. Concentrez d'abord votre pensée sur les orteils de votre pied droit, dites aux petits êtres qui les occupent de se mettre en marche, dites-leur de quitter vos orteils et de défiler dans le pied, dans la cheville, qu'ils remontent le long de votre mollet, jusqu'au genou.

Quand ils seront partis, votre pied droit sera flasque, sans énergie, complètement détendu parce qu'il n'y aura plus personne pour produire des sensations, parce que tout ce petit peuple s'éloigne le long de votre jambe. Votre mollet se détend ensuite, et puis c'est toute la jambe qui devient lourde, engourdie, dépourvue de sensations, parfaitement détendue. Faites marcher les petits êtres en rangs jusqu'à votre œil droit, et assurez-vous qu'un agent de police est là pour barrer la route et les empêcher de redescendre. Votre jambe droite, des orteils à la cuisse, est donc complètement détendue. Attendez un moment, assurez-vous que vous ne vous êtes pas trompé, et puis occupez-vous de la jambe gauche. Imaginez, si vous voulez, que la sirène d'une usine vient de retentir et que tous les petits ouvriers quittent leur travail, abandonnant leurs machines, pour rentrer chez eux. Imaginez qu'un bon souper les attend. Chassez-les vite des orteils de votre pied gauche, faites-les courir jusqu'à la cheville, le long du mollet, de la cuisse. Et comme vous l'avez fait pour la jambe droite, postez des policiers imaginaires afin qu'aucun des ouvriers ne fasse demi-tour.

Votre jambe gauche est complètement détendue, mais en êtes-vous bien sûr ? Si elle ne l'est pas, chassez de nouveau votre petit peuple afin que vos deux jambes soient comme une usine vidée de ses ouvriers, une usine où il ne reste même pas un veilleur de nuit qui risque de faire du bruit. Vos jambes sont détendues. Maintenant, agissez de même pour vos bras, en commençant par les mains. Renvoyez tous les travailleurs, chassez-les, poussez-les comme un troupeau de moutons est poussé par le chien de berger. Vous devez leur faire abandonner vos doigts, vos mains, vos bras, vous devez vous détendre complètement, parce que si vous y parvenez, si vous vous libérez de toute distraction, de tous cliquetis ou grincement internes, vous pourrez ouvrir la porte à votre subconscient et vous posséderez alors des pouvoirs et des connaissances qui ne sont pas normalement donnés à l'homme. Vous devez jouer votre rôle, vous devez faire votre travail, chasser ce petit peuple de tous vos membres, les forcer à quitter votre corps.

Quand vos bras et vos jambes seront complètement détendus, vidés comme un grand ensemble immobilier dont tous les locataires sont allés à la finale de la Coupe, occupez-vous de votre corps. Vos hanches, votre dos, votre ventre, votre poitrine, tout doit être vidé de ce petit peuple qui vous gêne. Ces ouvriers sont nécessaires, bien sûr, pour vous maintenir en vie, pour faire marcher la machine, mais cette fois, vous voulez leur accorder des vacances. Alors faites-les partir, faites-les sortir de votre corps, monter le long de la corde d'argent, libérez-vous de leur influence irritante, et quand vous serez complètement détendu vous connaîtrez un bien-être que vous n'auriez jamais cru possible.

Quand votre corps sera complètement vidé de tous ses petits ouvriers qui seront allés se grouper dans votre corde d'argent, assurez-vous que vos gardiens sont en place pour les empêcher de redescendre et de provoquer quelque trouble.

Aspirez profondément, lentement, remplissez vos poumons. Gardez votre souffle pendant quelques instants, et puis expirez très lentement, pendant plusieurs secondes. Cela ne devrait exiger aucun effort, vous devez respirer paisiblement, naturellement.

Recommencez. Aspirez, retenez votre souffle, écoutez battre votre cœur, et puis expirez, lentement, très lentement. Dites-vous que votre corps est complètement détendu, que vous vous sentez parfaitement à l'aise. Dites-vous que chacun de vos muscles est détendu, que rien en vous n'est crispé, que vous n'éprouvez qu'un merveilleux bien-être.

Votre tête s'alourdit. Les muscles faciaux sont détendus, vous êtes parfaitement confortable.

Contemplez distraitement vos orteils, vos genoux, votre bassin. Répétez-vous que c'est un plaisir que d'être si détendu, de ne sentir aucune crispation, aucun frémissement interne, ni dans votre torse, ni dans vos bras, ni dans votre tête. Vous vous reposez calmement, de tout votre être, de tout votre corps.

Avant d'aborder l'auto-hypnotisme proprement dit vous devez vous assurer que vous êtes réellement détendu, parce que ce n'est qu'à la première ou à la deuxième tentative que vous risquez d'éprouver un vague trouble. Ensuite, cela vous paraîtra si naturel, si facile que vous vous demanderez pourquoi vous avez tant tardé. Appliquez-vous particulièrement, au début ne vous précipitez pas, il est inutile de se hâter, vous avez vécu jusque-là et quelques heures de plus ou de moins n'ont aucune importance. Ne faites pas trop d'efforts car alors vous risquez d'ouvrir la porte aux doutes, aux hésitations, et à la fatigue musculaire.

Si vous vous apercevez qu'une partie de votre corps n'est pas complètement détendue, ne vous affolez pas mais consacrez-lui une attention particulière; imaginez que dans cette partie du corps, vous avez des ouvriers particulièrement consciencieux qui veulent finir un travail urgent avant de rentrer chez eux. Renvoyez-les, dites-leur qu'aucun travail n'est aussi important que celui dans lequel vous êtes engagé en ce moment. Il est indispensable que vous vous détendiez totalement, pour votre bien et celui de vos ouvriers.

Maintenant, vous êtes parfaitement assuré que vous êtes détendu; alors levez les yeux vers la petite veilleuse au-dessus de votre tête. Levez les yeux de manière que vous ayez à faire un léger effort. Regardez cette veilleuse, cette aimable petite lueur rouge ou jaune; elle devrait vous assoupir. Dites-vous que vous voulez que vos paupières se ferment quand vous aurez compté jusqu'à dix, et puis comptez : « Un... deux... trois... Mes yeux sont fatigués... quatre... oui, je commence à avoir sommeil... cinq... je ne peux plus garder les yeux ouverts... — et ainsi de suite jusqu'à neuf — neuf... mes yeux ne peuvent plus rester ouverts, ils se ferment, ils sont fermés... »

La raison de cet exercice, c'est d'établir un réflexe conditionné, afin que, au cours de vos futures séances d'auto-hypnotisme, vous n'ayez aucune difficulté, vous n'ayez pas à perdre de temps pour vous détendre, vous n'ayez qu'à compter, et alors vous sombrerez dans un état hypnotique, l'état que vous cherchez.

Évidemment, chez les personnes sceptiques, les yeux ne se fermeront pas quand elles auront compté jusqu'à dix. Si c'est votre cas, vous ne devez pas vous inquiéter; si vos yeux ne se ferment pas d'eux-mêmes, fermez-les délibérément, comme si vous étiez effectivement en état d'hypnose. Si vous faites cela, vous paverez la voie au réflexe conditionné, ce qui est une chose essentielle.

Pour y parvenir, vous pourrez vous répéter ce qui suit, ou quelque chose d'approchant, les mots n'ont aucune importance et ce texte n'est qu'un modèle à partir duquel vous pouvez imaginer votre propre formule :

« Quand j'aurai compté jusqu'à dix, mes paupières s'alourdiront, mes yeux seront fatigués. Il faudra que je ferme les yeux, rien ne pourra les maintenir ouverts lorsque j'aurai compté jusqu'à dix. Dès que mes yeux seront fermés, je sombrerai dans un état d'autohypnose totale. Je serai pleinement conscient, et j'entendrai tout ce qui se passe autour de moi, je saurai tout et je pourrai donner les ordres que je veux à mon esprit subconscient... »

Vous comptez donc, exactement comme nous l'avons dit plus haut. « Un... deux... mes paupières s'alourdissent... » etc.

Nous pensons que cela suffit pour cette leçon, qui est si importante. Nos préférons nous interrompre ici, afin que vous ayez amplement le temps de vous entraîner. Si nous vous donnions trop d'explications dans cette leçon, vous seriez tenté de lire plus avant, d'essayer de trop assimiler en une fois, et d'en comprendre moins. Alors, voulez-vous, avant de poursuivre votre lecture, étudier de nouveau cette leçon, plusieurs fois ? Nous pouvons vous assurer que, si vous voulez bien étudier, si vous assimilez cette leçon et si vous la mettez en pratique, vous obtiendrez des résultats vraiment admirables.

VINGT-SEPTIÈME LEÇON

La précédente leçon nous a appris comment nous placer en état de transe. Maintenant nous devons nous y entraîner, plusieurs fois. Nous nous faciliterons grandement les choses si nous nous exerçons assidûment, ce qui nous permettra d'atteindre sans efforts le premier stade de la transe, car l'objet de ces leçons est de vous éviter des travaux forcés.

Vous voulez vous hypnotiser afin de pouvoir éliminer certains défauts, afin de renforcer certaines vertus, certaines facultés. Quels sont ces défauts? Quelles sont ces facultés? Pour le savoir, vous devez être capable de les « visionner » clairement. Vous devez pouvoir évoquer sous vos yeux une image de vous-même tel que vous voudriez être. Manquez-vous de volonté? Alors imaginez-vous tel que vous voulez être, avec une forte volonté et une personnalité dominante, capable d'influencer les autres, capable d'imposer vos opinions.

Pensez fortement à ce « nouveau vous ». Etudiez cette nouvelle image de vous, comme un acteur étudie son personnage pour se mettre dans la peau de son rôle. Vous devez employer toute votre imagination; plus vous vous imaginerez fortement tel que vous voulez être, plus vite vous atteindrez votre but.

Entraînez-vous, exercez-vous, mettez-vous en transe, mais toujours dans une chambre obscure et calme.

Cela ne présente aucun risque. Nous insistons sur le fait que vous ne devez pas être dérangé parce que toute interruption, ou même un courant d'air froid, peut vous réveiller, vous faire sortir brusquement de votre transe. Il n'y a aucun danger, nous le répétons, il est impossible que, après vous être hypnotisé, vous ne puissiez sortir de votre transe. Pour vous rassurer, prenons un cas typique.

Le sujet s'est longuement entraîné. Il va dans sa chambre obscure, allume la petite veilleuse à hauteur de son front, et s'installe confortablement sur son lit ou son divan. Pendant quelques instants, il s'applique à détendre son corps, à le libérer de toutes tensions.

Bientôt, il éprouve une sensation merveilleuse, comme si le poids de son corps et tous ses fardeaux, tous ses soucis s'envolaient, comme s'il s'apprêtait à entrer dans une nouvelle vie. Il se détend de plus en plus, envoie son esprit s'assurer qu'aucun muscle n'est crispé, aucun nerf tendu. Certain d'être complètement « relaxé », il contemple fixement la petite veilleuse, en levant les yeux.

Bientôt ses paupières s'appesantissent, elles battent un peu et puis elles se ferment, mais seulement pendant une seconde ou deux. Elles se relèvent, les yeux larmoient. Les paupières clignotent et se referment. Et puis elles se relèvent encore une fois, difficilement car les yeux sont fatigués, et la personne est presque plongée dans une profonde transe. Enfin les yeux se ferment, et restent fermés. Le corps se détend plus encore, la respiration devient plus régulière, le sujet est enfin en état de transe.

Abandonnons-le un instant. Ce qu'il fait dans sa transe ne nous intéresse pas, parce que nous avons nos propres transes, nos propres expériences. Laissons-le donc en transe jusqu'à ce qu'il ait achevé ce qu'il allait y faire.

Il se livre apparemment à une expérience, pour voir à quel point il peut s'hypnotiser lui-même, pour savoir s'il peut dormir profondément. Il a délibérément défié une des Clauses de la nature parce qu'il s'est dit qu'il n'allait pas se réveiller!

Les minutes s'écoulent... dix... vingt minutes. Le rythme de la respiration change; le sujet n'est plus en transe, mais profondément endormi. Au bout d'une demi-heure il se réveille reposé, aussi parfaitement reposé qu'après une bonne nuit de sommeil.

Il est impossible de ne pas se réveiller d'une transe, la nature ne le permet pas. Le subconscient est un peu comme un bon géant stupide, ou plutôt à l'intelligence lente; on peut pendant un temps le persuader de tout ce qu'on veut, mais il finit par comprendre qu'on le « met en boîte ». Alors le bon géant se réveille précipitamment de son état hypnotique.

Nous répétons, encore une fois, que vous ne pouvez vous endormir d'une telle façon que vous risquiez d'en souffrir. Vous ne risquez absolument rien, parce que vous vous êtes hypnotisé vous-même, et que vous n'êtes pas à la merci des suggestions d'une autre personne.

Nous avons dit plus haut qu'un courant d'air pouvait réveiller une personne; c'est vrai. Quelle que soit la profondeur de la transe, s'il se produit un brusque changement de température, ou toute autre chose qui peut de quelque manière que ce soit faire du mal au corps, la transe se dissipe. Si jamais vous êtes en transe et si quelqu'un, dans la maison, ouvre une porte ou une fenêtre de manière qu'un courant d'air frais vous parvienne, vous vous réveillerez sans effort, sans douleur, et vous n'aurez que l'ennui d'avoir à recommencer. C'est pourquoi nous vous conseillons d'éviter les courants d'air ou toute autre interruption.

A tout moment, vous devrez vous répéter quelles sont les vertus que vous désirez acquérir. Vous devrez vous répéter que vous vous débarrassez des choses que vous n'admirez pas, et pendant quelques jours, en vaquant à vos occupations, vous devrez *voir* les facultés que vous voulez obtenir. Au cours de la journée, vous vous répéterez que, à telle ou telle heure, de préférence le soir, vous allez vous hypnotiser, et chaque fois que vous entrerez en transe, les vertus désirées vous apparaîtront plus nettement. Au moment d'entrer en transe, répétez-vous encore ce que vous désirez.

Voici un exemple tout simple, et même un peu bête; supposons un homme voûté, peut-être parce qu'il est trop paresseux pour se tenir droit. Faisons-lui répéter inlassablement : « Je vais me tenir droit, je vais me tenir droit. » Cela pour vous expliquer qu'il faut répéter cela rapidement, sans interruption, parce que, à la moindre hésitation notre ami, le subconscient, interviendra pour dire: « Espèce de menteur, tu es toujours aussi voûté! » Si vous répétez la phrase sans interruption, le subconscient doit rester coi, il est accablé par le poids des mots et bientôt il croit que vous vous tenez droit. Si le subconscient le croit, les muscles se tendent, et vous vous tiendrez aussi droit que possible.

Fumez-vous trop? Buvez-vous trop? Ces excès sont mauvais pour la santé, vous savez! Pourquoi ne pas employer l'hypnotisme pour vous guérir, pour faire des économies, pour vous débarrasser de vices puérils ? Vous n'avez qu'à convaincre votre subconscient que vous avez horreur des cigarettes, et vous cesserez de fumer le plus aisément du monde.

Peu de gens peuvent cesser de fumer, c'est une habitude dont il est extrêmement difficile de se débarrasser. Sans aucun doute, vous l'avez entendu dire très souvent; un fumeur ne peut renoncer à sa pipe ou à ses cigarettes, tout le monde vous le répète, dans les journaux des placards publicitaires attirent votre attention sur diverses prétendues méthodes, ou sur des médicaments qui permettent de cesser de fumer, de faire ceci ou cela. Ne vous est-il jamais venu à l'esprit que cela est en soit une forme d'hypnose ? Vous ne pouvez pas cesser de fumer parce que vous croyez ce qu'on vous a dit, vous croyez la publicité qui laisse entendre que cesser de fumer est un exploit pratiquement impossible.

Tirez profit de cette hypnose; *vous* n'êtes pas comme tout le monde; *vous* avez de la force de caractère, *vous* avez de la volonté, vous pouvez vous guérir du tabac, de l'alcool, de quoi que ce soit dont vous désiriez vous guérir. Tout comme l'hypnotisme — inconscient — vous a fait croire que vous ne pouviez pas cesser de fumer, votre hypnotisme conscient pourra faire en sorte que vous n'allumiez jamais plus une cigarette.

Un avertissement, tout de même, ou plutôt, un conseil amical. Êtes-vous certain de vouloir cesser de fumer ? Êtes-vous certain de vouloir renoncer à la boisson, à l'habitude d'être toujours en retard aux rendez-vous ? Vous ne pouvez rien faire si vous n'êtes pas sûr de ce que vous voulez, vous devez être absolument certain de vouloir renoncer au tabac, de vouloir faire ceci ou cela. Il ne suffit pas, si l'on est faible, de soupirer : « Ah! que je voudrais ne plus fumer, je vais me répéter que j'en suis capable. »

Nous ne répéterons jamais assez que, tant que l'idée ne se sera pas ancrée dans votre subconscient, vous ne pourrez jamais faire que ce que vous voulez réellement faire, alors si vous essayez de vous mettre en quelque sorte au défi de ne plus fumer, vous risquez au contraire de fumer davantage!

Analysez-vous avec soin. Que voulez-vous faire réellement? Il n'y a personne autour de vous, personne ne regarde par-dessus votre épaule, personne ne lit vos pensées. Vous voulez vraiment ne plus fumer? Ou bien préférez-vous continuer, et votre déclaration n'est-elle qu'une suite de mots futiles?

Une fois que vous serez parfaitement convaincu que vous voulez une chose, vous l'aurez. N'accusez pas l'hypnotisme si vous ne réussissez pas, n'accusez que vous-même, parce que, si vous échouez, cela signifie tout simplement que votre résolution n'était pas assez sincère.

Grâce à l'auto-hypnose, on peut se guérir de ce que les gens appellent parfois les « mauvaises habitudes ». Malheureusement, nous n'avons jamais pu découvrir quelles étaient ces « mauvaises habitudes », alors nous ne pouvons guère vous éclairer sur ce sujet particulier! Nous considérerons comme de mauvaises habitudes le fait de battre sa femme, de jeter la vaisselle à la tête de son mari, de donner des coups de pied au chien, d'injurier quelqu'un sans raison et de s'enivrer, et toutes ces choses peuvent être facilement guéries, pour peu qu'on le veuille réellement et sincèrement.

Détendez-vous plusieurs fois. Profitez de ce que vous êtes libéré des tensions intérieures pour accroître votre énergie. Vos pourriez améliorer votre santé si seulement vous consentiez à lire et relire cette leçon et la précédente, et à vous entraîner, à vous exercer sans relâche! Les plus grands musiciens font des gammes et s'exercent pendant des heures, jour après jour. C'est pourquoi ils sont de grands musiciens. Vous pouvez être un grand hypnotiseur, un auto-hypnotiseur, si vous faites ce que nous vous disons. Alors essayez. Exercez-vous.

VINGT-HUITIÈME LEÇON

Beaucoup de gens, sinon la majorité, s'imaginent bien à tort que le travail a quelque chose d'avilissant. Dans beaucoup de civilisations, on fait une distinction entre les travailleurs « intellectuels » et les « manuels ». C'est une forme de snobisme qui doit être détruite car elle sème la discorde.

Le travail, quel qu'il soit, intellectuel ou manuel, est ennoblissant pour ceux qui l'exécutent sans fausse honte. Dans certains pays, de plus en plus rares heureusement, c'est une disgrâce pour la maîtresse de maison d'avoir à lever une main pour faire quoi que ce soit; on estime qu'elle ne doit rien faire du tout, sinon peut-être donner quelques ordres pour montrer qu'elle est la reine du logis.

Dans l'ancienne Chine, il était de bon ton, pour qui appartenait aux classes dites supérieures, de laisser pousser ses ongles, au point que l'on devait parfois les protéger par des fourreaux d'or pour éviter de les casser. Ces ongles ridiculement longs indiquaient en principe que leur propriétaire était si riche qu'il ne se livrait à aucune besogne; les ongles longs démontraient qu'il lui était impossible de travailler et qu'il avait donc des serviteurs pour subvenir à ses moindres besoins.

Au Tibet, avant l'invasion communiste, certains aristocrates portaient les manches de leurs vêtements si longues qu'elles couvraient complètement les mains et allaient même jusqu'à les dépasser parfois de dix à vingt centimètres. Cela indiquait que le porteur de ce vêtement était si important et si riche qu'il n'avait pas à travailler, si peu que ce fût. Les très longues manches le rappelaient à quiconque risquait de l'oublier. Ces habitudes répréhensibles ne font que dégrader la valeur du travail. Le travail est une forme de discipline, d'entraînement. Comme nous l'avons déjà fait observer, la discipline est indispensable, c'est elle qui fait la force des armées, c'est elle qui forme les bons citoyens, qui fait un homme d'un garnement qui, sans discipline, ne songerait qu'à faire des sottises.

Nous avons évoqué le Tibet et ses aristocrates aux longues manches et aux idées fausses concernant le travail mais il ne s'agit là que des profanes, d'une classe restreinte. Dans les lamaseries, au contraire, la règle veut que chacun travaille et il n'était pas rare, avant l'invasion communiste, de voir un grand prieur frotter le plancher, ou emporter des ordures déposées par les novices. Cela avait pour but d'enseigner au prieur que sur terre les choses sont temporelles, et que le mendiant d'aujourd'hui peut être le prince de demain, tout comme le roi d'aujourd'hui peut être le misérable de demain. On nous opposera peut-être que bien des têtes couronnées récemment détrônées n'ont jamais été vues en train de mendier dans les rues, car elles avaient pris soin de mettre de côté leur fortune, mais cela ne peut venir à l'encontre de notre propos puisqu'on ne parle dans ce cas que d'une seule et même vie terrestre.

Le travail, quelle que soit sa nature, qu'il soit manuel ou intellectuel, est toujours ennoblissant, jamais dégradant, jamais avilissant lorsqu'il est accompli avec des motifs purs, et dans l'intention de « servir », c'est-à-dire de rendre service aux autres. Au lieu d'admirer ces personnes riches qui ne font rien de leurs dix doigts mais commandent à une armée de serviteurs souvent mal payés, nous devrions applaudir ces derniers et mépriser la grande dame paresseuse, car « servir » est honorable.

Nous avons assisté dernièrement à une discussion fort violente, entre des esprits échauffés, sur le sujet de la viande. Personnellement, nous estimons que, si une personne veut manger de la viande, elle est bien libre de le faire, et si une autre tient à être végétarienne, à se nourrir de racines et de noix, libre à elle. Peu importe le régime que l'on adopte, à la condition formelle de ne pas tenter de l'imposer aux autres.

L'homme est un animal omnivore, et les beaux vêtements comme les belles paroles ne peuvent le déguiser. L'homme est un animal, et les anthropophages vous diront, si vous en connaissez, que la chair humaine est excellente et ressemble au porc! Tant de gens se conduisent comme des cochons qu'il n'y a peut-être là rien de surprenant! Le mangeur d'hommes vous dira de plus que la chair d'un Noir est excellente, aussi fine que le filet de porc, alors que celle du Blanc a un goût assez rance!

Nous vous conseillons, donc, de manger de la viande si cela vous fait plaisir. Si vous préférez les légumes, les racines et les noix, déjeunez et dînez à votre guise. Mais en aucune façon, à aucun moment, n'essayez d'imposer vos opinions et vos goûts aux autres. Il est navrant de constater que les végétariens et les naturistes tentent d'imposer leurs opinions souvent extrémistes, comme si, par la véhémence même de leurs arguments, ils voulaient se convaincre eux-mêmes. Il nous paraît évident que beaucoup de ces individus que nous considérons comme des fous ne savent pas eux-mêmes s'ils agissent bien. Ils ont toujours peur de « passer à côté » de quelque chose, mais ils n'aiment guère être végétariens s'ils voient d'autres personnes manger de la viande avec plaisir, aussi se lancent-ils dans un prosélytisme assommant. Les non-fumeurs font de même, particulièrement s'ils ont été grands fumeurs; ils ont la certitude d'avoir accompli un exploit remarquable en cessant de fumer et ils se sentent très vertueux, au point de ne pouvoir supporter la vue d'une personne portant une cigarette à ses lèvres. En réalité, c'est simplement une question de choix. Fumer avec modération n'a sans doute jamais fait de mal à personne. L'alcool, en revanche, est dangereux car l'ébriété blesse le corps astral. Cependant, si une personne tient à boire et à blesser son corps astral, cela la regarde elle seule; elle est libre. Il est foncièrement mauvais d'employer la persuasion pour forcer une personne à changer de voie.

Puisque nous parlons de l'alimentation à base de viande, pour laquelle on tue des animaux, développons ce propos. Certains affirment qu'on ne doit jamais tuer, même un insecte. Qu'on ne doit jamais tuer un bœuf ou un porc, ni aucune créature vivante. Nous pouvons alors nous demander si nous commettons un péché grave en tuant le moustique qui peut nous apporter la malaria; il est permis de se demander si l'on commet un crime contre les créatures vivantes lorsqu'on se fait vacciner. Un microbe, un virus sont après tout des organismes vivants! Devrions-nous alors cesser, par droiture, de tuer les bacilles de la tuberculose, les germes du cancer?

Sommes-nous de grands pécheurs si nous cherchons un remède contre la grippe? Allons, il ne faut rien exagérer; nous devons être raisonnables avant tout.

Les végétariens affirment que nous ne devons pas supprimer la vie. C'est vite dit, car un chou est un organisme vivant, et si nous arrachons un chou de la terre afin de le manger, nous détruisons une vie que nous sommes incapables de créer. Que nous prenions une pomme de terre ou un radis, nous détruisons une forme de vie, et le végétarien détruit la vie tout autant que le carnivore. Alors, encore une fois, soyons raisonnables, et mangeons ce dont notre corps a besoin, à savoir de la viande puisque l'homme est un animal carnivore.

On prétend souvent que le bon bouddhiste ne mange pas de viande, mais on oublie que la raison est bien simple; il n'a pas les moyens d'en acheter! Le bouddhisme est la religion des pays extrêmement sous-développés. Au Tibet, par exemple, la viande est un luxe que seuls peuvent se permettre les plus riches d'entre les riches. Le peuple se nourrit de légumes et de tsampa et ces légumes eux-mêmes sont un luxe! Les moines vivent de tsampa, ne mangent rien d'autre, mais pour que ce brouet paraisse meilleur, les fondateurs de la religion ont décrété que c'était un péché que de manger de la viande. Ainsi, le peuple, qui n'a pas les moyens de se procurer de la viande, se sent plus vertueux dans son abstinence forcée! A notre avis, beaucoup de sottises ont été écrites à ce sujet. Le mangeur de viande aime son rôti ou sa côtelette, libre à lui. S'il plaît au végétarien de grignoter une branche de céleri, libre à lui, à condition qu'il ne cherche pas à imposer son point de vue aux autres.

Nous recevons un volumineux courrier, des lettres de gens désespérés qui nous écrivent que telle personne a grand besoin d'aide, de conseils, qui nous demandent comment l'hypnotiser pour lui faire changer de vie. Nous ne répondons jamais parce que nous estimons qu'il est foncièrement mauvais de vouloir influencer une autre personne. Dans ce cours, par exemple, nous proposons nos connaissances. Nous faisons état de nos opinions, de ce que nous savons, mais nous ne forçons personne à croire. Si vous étudiez ce cours, c'est sans doute que vous êtes prêt à prendre en considération ce que nous disons; si nos propos ne vous plaisent pas, vous n'avez qu'à fermer le livre.

Si on vous demande votre opinion, donnez-la, mais n'essayez pas de l'imposer à un autre; ayant donné votre opinion, n'insistez pas et n'en parlez plus, car vous ignorez comment l'autre personne a organisé sa vie. Si vous vous entêtez à forcer une personne à faire une chose qu'elle ne veut pas faire, alors vous risquez d'être soumis à son karma. Et cela risque d'être fort déplaisant!

Nous aimerions maintenant parler un peu des animaux; beaucoup de gens considèrent les animaux comme des créatures qui marchent sur quatre pattes au lieu de deux. On les traite de « bêtes » parce qu'ils ne parlent pas l'anglais, le français, l'allemand ou l'espagnol, mais il est fort probable que les animaux considèrent les humains comme des « bêtes »! Si vous êtes vraiment télépathe, vous vous apercevrez que les animaux ont un langage, et qu'ils parlent beaucoup plus intelligemment que les humains! Certains savants, certains biologistes ont découvert qu'il existe un langage des abeilles. Les abeilles peuvent se donner mutuellement des instructions fort détaillées, et elles tiennent même des conférences!

Les animaux sont des entités qui sont descendues sur la terre sous une forme spéciale, afin d'accomplir leur mission de la manière la plus propice à leur propre évolution. Nous avons eu la chance d'être en contact étroit avec deux chats siamois qui possédaient des dons de télépathie extraordinaires et il nous a été possible, après de longues expériences, d'échanger avec eux une conversation, tout comme on le fait entre humains intelligents. Mais ce n'est pas toujours très flatteur de pouvoir capter les pensées d'un chat siamois, et de savoir ce qu'il pense des humains ! Si nous considérons les animaux comme nos égaux ayant une forme physique différente, nous pouvons nous rapprocher d'eux, et discuter avec eux de choses diverses.

Un chien, par exemple, a besoin de l'amitié de l'homme. Un chien aime obéir à son maître, parce qu'il reçoit alors des compliments et des caresses. Le chat siamois, en revanche, méprise souvent les humains parce que, comparé au chat siamois, l'homme est une personne terriblement sous-développée ; le chat possède de remarquables pouvoirs occultes, de remarquables pouvoirs télépathiques. Alors pourquoi ne pas être en bons termes avec notre chat, ou notre chien, ou notre cheval ? Si vous le voulez sincèrement, si vous avez la foi, vous pourrez converser par télépathie avec cet animal.

Voilà que nous arrivons à la fin de ce cours, mais cela ne marquera pas, nous l'espérons, la fin de notre association. Ce cours est une suite de travaux pratiques grâce auxquels vous aurez appris que ce que l'on appelle les « phénomènes métaphysiques » sont en réalité fort simples. Après nous avoir suivi jusqu'ici, vous désirez certainement aller plus loin.

Nous ne vous disons donc pas « adieu » parce que nous espérons de tout cœur que vous resterez encore avec nous. Alors disons-nous simplement au revoir, ou en espagnol, plus joliment, « hasta la vista ».

1830

Achevé d'imprimer en Slovaquie
par NOVOPRINT SLK
le 1er mars 2016

1er dépôt légal dans la collection : 1971
EAN 9782290343296
L21EPENJ03360C009

ÉDITIONS J'AI LU
87, quai Panhard-et-Levassor, 75013 Paris

Diffusion France et étranger : Flammarion